E van explosief

Sue Grafton

E van explosief

Uitgeverij BZZTôH
's-Gravenhage, 1989

BZZTôH Crime staat onder redactie van
Joost de Wit en Phil Muysson

Vertaling: Wim Holleman
Ontwerp omslag: Tokkio Synd.
Zetwerk: No lo sé prod.
Drukwerk: Tulp, Zwolle
Bindwerk: Pfaff, Woerden

ISBN 90 6291 427 6

CIP-GEGEVENS KONINKLIJKE BIBLIOTHEEK, DEN HAAG

Grafton, Sue

E van explosief / Sue Grafton ; [vert. uit het Engels]. -
's-Gravenhage : BZZTôH. - (BZZTôH crime)
Vert. van: "E" is for evidence. - New York : Holt, 1989.
ISBN 90-6291-427-6
UDC 82-31 NUGI 332
Trefw.: romans ; vertaald.

HOOFDSTUK EEN

Het was maandag, 27 december, en ik zat op mijn kantoor. Ik was in een rothumeur, dat gedeeltelijk veroorzaakt werd door irritatie en deels door een vaag gevoel dat er iets niet klopte. De irritatie werd veroorzaakt door een bankafschrift dat ik zojuist ontvangen had, zo'n vensterenvelop met een gele doorslag erin. Mijn eerste gedachte was dat ik wel rood zou staan, maar toen ik de envelop openmaakte bleek het een afschrift te zijn, gedateerd op vrijdag 24 december, waaruit bleek dat er een bedrag van vijfduizend dollar op mijn rekening was gestort.

'Wat is dit nou weer?' zei ik hardop.

Het rekeningnummer klopte, maar het geld was niet door mij gestort. Uit ervaring weet ik dat banken de minst behulpzame instellingen ter wereld zijn, en het idee dat ik mijn werk moest onderbreken om een vergissing recht te zetten was bijna meer dan ik kon verdragen. Ik legde het bankafschrift opzij en probeerde me weer te concentreren. Ik stond op het punt om het voorlopige rapport uit te tikken van een verzekeringszaak die ik onderzocht had en Darcy, de secretaresse van California Fidelity, had me zojuist gebeld om te zeggen dat Mac het dossier stante pede op zijn bureau wilde hebben. Inwendig had ik haar stijf gevloekt, maar ik had verder mijn mond gehouden, een naar mijn mening bewonderenswaardig staaltje zelfbeheersing.

Ik wendde me weer tot mijn draagbare Smith-Corona en draaide er het schade-expertiseformulier in. Mijn rappe vingers zweefden boven de toetsen terwijl ik mijn aantekeningen doornam. En daar stokte de zaak. Er klopte iets niet en ik kon er maar niet achter komen wat het was. Ik keek weer naar het bankafschrift.

Half en half met het oog op een komisch intermezzo belde ik de bank, in de hoop dat ik me na die afleiding beter zou kunnen concentreren op de situatie bij Wood/Warren, een plaatselijk bedrijf dat waterstofovens fabriceerde voor indus-

trieel gebruik. Ze hadden daar op 19 december een brand gehad die een magazijn in de as had gelegd.
'Mevrouw Brunswick, Klantenservice. Kan ik u helpen?'
'Nou, dat hoop ik,' zei ik. 'Volgens een bankafschrift dat ik vandaag binnenkreeg, heb ik afgelopen vrijdag vijfduizend dollar op mijn rekening gestort, maar dat klopt niet. Kunt u ervoor zorgen dat dat rechtgezet wordt?'
'Mag ik uw naam en uw rekeningnummer, alstublieft?'
'Kinsey Millhone,' zei ik, waarna ik langzaam en duidelijk mijn rekeningnummer opgaf.
Ze vroeg me of ik even geduld wilde hebben terwijl ze de benodigde gegevens op haar computerterminal liet verschijnen. Ondertussen werd ik vergast op een vertolking van 'Good King Wenceslas.'
Mevrouw Brunswick meldde zich weer. 'Juffrouw Millhone, ik begrijp niet precies wat het probleem is, maar het geld is wel degelijk contant op uw rekeningnummer gestort. Het is blijkbaar gedurende het weekend in de nachtkluis gedeponeerd.'
'Hebben jullie nog altijd van die nachtkluizen?' vroeg ik verbaasd.
'Ons filiaal in de binnenstad heeft er nog een, ja,' zei ze.
'Nou, er moet hier sprake zijn van een misverstand. Ik heb die nachtkluis nog nooit gezien. Ik gebruik altijd mijn bankpasje als ik buiten kantooruren bankzaken wil afhandelen. Dus wat doen we nu?'
'Ik kan wel een kopie van het stortingsbewijs opsporen,' zei ze weifelend.
'Zou u zo vriendelijk willen zijn? Want ik heb afgelopen vrijdag niets gestort en zeker geen bedrag van vijfduizend dollar. Misschien heeft iemand een paar cijfers verwisseld op het stortingsbewijs of zo, maar dat geld is in elk geval niet van mij.'
Ze nam mijn telefoonnummer op en zei dat ze me terug zou bellen. Ik zag al aankomen dat ik talloze telefoontjes zou krijgen voordat de vergissing hersteld zou zijn. Stel je voor dat iemand gezellig cheques aan het uitschrijven was voor die vijfduizend dollar?
Ik richtte mijn aandacht weer op de opdracht die ik onder

handen had, maar ik begreep er nog steeds niet veel van. Ik had het dossier van de brand bij Wood/Warren vier dagen eerder, laat in de middag van donderdag de drieëntwintigste, in handen gekregen. Ik had een afspraak om rond vier uur een afscheidsborrel te drinken met mijn huisbaas, Henry Pitts, en hem daarna naar het vliegveld te brengen. Hij vloog naar Michigan om de feestdagen bij zijn familie door te brengen. Sommige van zijn familieleden zijn al in de negentig, maar nog altijd kras en opgewekt. Henry wordt eenentachtig, een jonkie nog maar, en hij was zo opgewonden als een kind bij het vooruitzicht van de reis.
Ik was die middag nog op mijn kantoor, ik had mijn administratie bijgewerkt en ik had verder eigenlijk niets meer te doen. Ik liep naar mijn balkon op de bovenverdieping en keek naar het V-vormige stukje Stille Oceaan dat zichtbaar is aan het eind van State Street, tien huizenblokken verderop. Dit is Santa Teresa, Californië, honderdvijftig kilometer ten noorden van Los Angeles. 's Winters is het hier heerlijk, volop zon en milde temperaturen, paarsrode bougainvillea lichtjes trillend in een zacht briesje, palmbomen met hun bladeren wuivend naar de traag cirkelende zeemeeuwen.
De enige tekenen dat het over twee dagen Kerstmis zou zijn, waren de zilverkleurige guirlandes die de winkelstraten sierden. In de winkels was het vanzelfsprekend een drukte van belang en een trio hoornblazers van het Leger des Heils bracht een stichtelijk nummer ten gehore. Met het oog op de komende feestvreugde leek het me verstandig om mijn strategie voor de komende twee dagen te bepalen.
Iedereen die me kent weet dat ik mijn ongehuwde staat koester. Ik ben een vrouw, tweemaal gescheiden, geen kinderen en geen nauwe familiebanden. Van beroep ben ik privé-detective. Over het algemeen bevalt mijn werk me uitstekend. Soms ben ik vrijwel dag en nacht met een zaak bezig en soms ben ik op reis en soms trek ik me dagenlang terug in mijn kleine appartement om lekker te lezen. Maar als de feestdagen eraan komen, heb ik gemerkt, moet ik een zekere geslepenheid aan de dag leggen om te voorkomen dat het ontbreken van geliefden een ongewenst gevoel van

neerslachtigheid teweegbrengt. Thanksgiving Day was een fluitje van een cent geweest. Die dag had ik doorgebracht met Henry en een paar vrienden van hem. Ze hadden eten klaargemaakt en champagne gedronken en gelachen en verhalen verteld over lang vervlogen tijden en ik had gewild dat ik van hun leeftijd was in plaats van tweeëndertig.
Nu ging Henry de stad uit en zelfs Rosie, de eigenares van het groezelige tentje waar ik dikwijls eet, had haar zaak tot 2 januari gesloten, zonder ook maar iemand te vertellen hoe ze die dagen door dacht te komen. Rosie is zesenzestig, Hongaarse, klein van stuk, topzwaar, bazig en dikwijls grof in de mond, dus het was ook weer niet zo dat ik nu onze roerend openhartige gesprekjes zou missen. Het feit dat ze haar eethuis sloot was alleen een zoveelste onprettige herinnering aan het feit dat ik helemaal alleen stond en er maar beter voor kon zorgen dat ik onder de pannen kwam.
Hoe dan ook, ik had op mijn horloge gekeken en besloten dat ik maar richting huis moest gaan. Ik zette mijn antwoordapparaat aan, pakte mijn jack en mijn handtas en stond net op het punt om af te sluiten toen Darcy Pascoe, de receptioniste van het aangrenzende verzekeringsbedrijf, haar hoofd om de hoek van de deur stak. Ooit had ik fulltime voor de California Fidelity Insurance Company gewerkt als onderzoekster van claims op basis van brand- en levensverzekeringen waar mogelijk een luchtje aan zat. Tegenwoordig heeft de samenwerking een informeel karakter. Ik ben min of meer op afroep beschikbaar om het nodige speurwerk voor ze te verrichten, in ruil voor kantoorruimte in het centrum die ik me anders met geen mogelijkheid zou kunnen veroorloven.
'O, wow. Ik ben blij dat ik je nog tref,' zei Darcy. 'Mac zei tegen me dat ik je dit moest geven.'
Ze overhandigde me een dossier waar ik een vluchtige blik op wierp. Het oningevulde formulier in de map maakte me duidelijk dat van me verwacht werd dat ik op de plaats waar een brand gewoed had een onderzoek in zou stellen, het eerste sinds maanden.
'Dat heeft Mac tegen je gezegd?' Mac is de onderdirecteur van California Fidelity. Ik kon me niet voorstellen dat hij zich met dat soort routineklusjes bezighield.

'Nou ja, Mac heeft het aan Andy gegeven en Andy zei dat ik het aan jou moest geven.'
Er zat een memo aan de omslag van het dossier, drie dagen eerder gedateerd en met de vermelding SPOED.
'Het lag onder een grote stapel paperassen op mijn bureau, anders had ik het je wel eerder gegeven,' zei ze. Darcy is achter in de twintig en een beetje een apart type. Ik liep naar mijn bureau en legde het dossier bovenop een aantal andere waar ik mee bezig was. Ik zou er de volgende ochtend wel naar kijken. Darcy, die zoiets waarschijnlijk wel verwacht had, bleef bij de deur dralen.
'Zou je het misschien vandaag nog kunnen doen? Ik weet dat hij zo gauw mogelijk iemand ter plaatse poolshoogte wil laten nemen. Het was de bedoeling dat Jewel de zaak zou behandelen, maar die heeft twee weken vakantie opgenomen, dus toen zei Mac dat jij het misschien wel kon doen.'
'Wat is het voor claim?'
'Een brand in een groot magazijn in Colgate. Je hebt het waarschijnlijk wel op het nieuws gehoord.'
Ik schudde het hoofd. 'Ik ben de afgelopen dagen in L.A. geweest.'
'Nou ja, de kranteknipsels zitten er ook bij. Volgens mij willen ze dat er zo snel mogelijk iemand komt kijken.'
Het irriteerde me dat ik zo onder druk werd gezet, maar ik sloeg de map weer open en keek naar het schade-aangifteformulier dat bovenop lag. 'Wood/Warren?' zei ik.
'Ken je dat bedrijf?'
'Ik ken de Woods. Ik heb met de jongste dochter op high school gezeten. We zaten in dezelfde klas.'
Ze keek opgelucht, alsof ik zojuist een probleem voor haar had opgelost. 'Prachtig. Ik zal Mac zeggen dat je er misschien vanmiddag nog heen kunt.'
'Darcy, wil je ophouden? Ik moet vanmiddag iemand naar het vliegveld brengen,' zei ik. 'Laat het verder nou maar aan mij over. Ik zal een afspraak maken om er zo snel mogelijk heen te gaan.'
'O. Nou, dan maak ik wel een notitie dat je de zaak in behandeling neemt,' zei ze. 'Ik moet nu terug naar de telefoon. Laat me maar weten wanneer je het rapport afhebt, dan kom ik het wel ophalen.'

'Fantastisch,' zei ik. Ze moest tot de conclusie gekomen zijn dat ze me genoeg onder druk had gezet want ze verontschuldigde zich en verdween gehaast.
Zodra ze weg was pakte ik de telefoon, om er maar van af te zijn, belde Wood/Warren en maakte een afspraak voor een gesprek met de directeur van het bedrijf, Lance Wood, om negen uur de volgende ochtend, de dag voor Kerstmis.
Inmiddels was het kwart voor vier geworden, dus ik stopte de map in mijn tas, sloot mijn kantoor af en liep via de achtertrap naar de parkeerplaats waar mijn VW geparkeerd stond. Tien minuten later was ik thuis.

Tijdens ons voortijdige Kerstfeestje gaf Henry mij een nieuwe roman van Len Deighton en ik gaf hem een lichtblauwe mohair sjaal die ik zelf gehaakt had - een van mijn minder bekende talenten. We zaten in zijn keuken en aten een halve schaal van zijn zelfgemaakte kaneelbroodjes, waarbij we champagne dronken uit de kristallen flûtes die ik hem het jaar ervoor gegeven had.
Hij haalde zijn vliegticket te voorschijn en controleerde nogmaals met rode oortjes van opwinding de vertrektijd. 'Ik wou dat je met me mee ging,' zei hij. Hij had mijn sjaal om zijn nek en de kleur deed zijn ogen des te beter uitkomen. Zijn zachte witte haar was opzij geborsteld, zijn magere gezicht gebruind door de Californische zon.
'Ik wou dat dat kon, maar ik heb net een opdracht gekregen waarvan ik de huur kan betalen,' zei ik. 'Je moet maar een boel foto's maken en me die laten zien als je terug bent.'
'Hoe zit het met Eerste Kerstdag? Dan ben je toch niet alleen, hoop ik?'
'Henry, wil je ophouden met je zorgen over mij te maken? Ik heb massa's vrienden.' Ik zou de beide Kerstdagen waarschijnlijk in mijn eentje doorbrengen, maar ik wilde niet dat hij daarover zou piekeren.
Hij stak een vinger op. 'Wacht eens even. Dat was ik bijna vergeten. Ik heb nog een cadeautje voor je.' Hij liep naar het aanrecht en pakte een klompje groen in een potje op. Hij zette het voor me neer en lachte toen hij de uitdrukking

op mijn gezicht zag. Het zag eruit als een varen en het rook naar tenenkaas.
'Het is een luchtvaren,' zei hij. 'Die leeft gewoon op lucht. Je hoeft hem niet eens water te geven.'
Ik staarde naar de kleine kantachtige bladeren, die van een haast lichtgevend groen waren en eruit zagen als iets dat in de buitenaardse ruimte goed zou gedijen. 'Geen plantenvoedsel?'
Hij schudde het hoofd. 'Je hoeft er niets aan te doen.'
'Ik hoef me geen zorgen te maken over getemperd zonlicht of terugsnoeien of zoiets?' vroeg ik, wat plantentermen in het rond strooiend alsof ik er verstand van had. Ik sta erom bekend dat ik slecht met planten overweg kan, en ik heb al jarenlang weerstand kunnen bieden aan elke verleiding om er een aan te schaffen.
'Helemaal niets. Het is om je gezelschap te houden. Zet hem op je bureau. Dat fleurt de boel wat op.'
Ik pakte het potje op en bekeek de varen van alle kanten, terwijl ik dat verontrustende sprankje bezitsdrift weer de kop voelde opsteken. Ik moet er beroerder aan toe zijn dan ik dacht, dacht ik.
Henry viste een sleutelring uit zijn zak en gaf die aan mij. 'Voor het geval je in mijn huis moet zijn.'
'Prima. Ik haal de post en de kranten wel binnen. Is er verder nog iets dat gedaan moet worden terwijl je weg bent? Ik kan het gras maaien.'
'Dat hoeft niet. Je hebt het telefoonnummer waar je me kunt bereiken als de Grote Klapper komt. Verder zou ik niet weten wat je moest doen.' De Grote Klapper waar hij op doelde was de grote aardbeving die we allemaal elke dag verwachtten sinds de vorige in 1925.
Hij keek op zijn horloge. 'We kunnen nu maar beter gaan. Het is stervensdruk op de luchthaven om deze tijd van het jaar.' Zijn toestel vertrok pas om zeven uur, zodat we nog slechts anderhalf uur hadden voor het ritje van twintig minuten naar de luchthaven, maar het had geen zin om hem daarop te wijzen. De lieverd. Als hij dan toch moest wachten, dan kon hij dat net zo goed daar doen, gezellig babbelend met zijn medepassagiers.

Ik trok mijn jack aan terwijl Henry het huis nog een keer doorliep, de verwarming laag zette en controleerde of alle ramen en deuren wel goed afgesloten waren. Hij pakte zijn jas en zijn koffer en we gingen op weg.
Toen ik tegen kwart over zes weer terug was, voelde ik nog altijd iets van een brok in mijn keel. Ik heb de pest aan afscheid nemen en ik heb er de pest aan om alleen gelaten te worden. Het begon al donker te worden en het was tamelijk koud. Ik deed mijn voordeur open. Mijn appartement was vroeger Henry's garage geweest. Het is bij elkaar zo'n vijf bij vijf meter met aan de rechterkant een smalle uitbouw die als keukentje dienst doet. Verder bevat het een washok en een compacte badkamer. De ruimte is zeer economisch ingedeeld en als ik mijn slaapbank uitklap is het net of ik de beschikking heb over een woonkamer, eetkamer en slaapkamer. Ik heb meer dan voldoende bergruimte voor de weinige dingen die ik bezit.
Het overzien van mijn kleine koninkrijk vervult me gewoonlijk met een gevoel van tevredenheid, maar ik kampte nog steeds met een vleugje Kerstdepressie, en de ruimte kwam me benauwd en somber voor. Ik deed een paar lampen aan. Ik zette de luchtvaren op mijn bureau. Hoopvol als altijd controleerde ik of er boodschappen op mijn antwoordapparaat stonden, maar dat was niet het geval. De stilte maakte dat ik me rusteloos voelde. Ik zette de radio aan - Bing Crosby die zong over een witte Kerst zoals hij die zich van vroeger herinnerde. Ik heb zelf nog nooit een witte Kerst meegemaakt, maar ik snapte wel zo'n beetje wat hij bedoelde. Ik zette de radio uit.
Ik ging op een keukenkruk zitten en luisterde naar de inwendige mens. Ik had honger. Een van de voordelen als je alleen woont ... je kunt eten wanneer je wilt. Bij wijze van avondmaal maakte ik een volkoren-sandwich met olijf-pimentkaas klaar. Het is een bron van troost voor me dat het merk olijf-pimentkaas dat ik koop, nog altijd precies hetzelfde smaakt als de allereerste keer dat ik me kan herinneren het geproefd te hebben, op drieëneenhalfjarige leeftijd. Resoluut zette ik *dat* onderwerp van me af, aangezien dat verband hield met mijn ouders, die gestorven waren toen ik

vijf was. Ik sneed de sandwich in vier smalle partjes, zoals mijn gewoonte was, schonk een glas witte wijn in en ging met mijn bordje naar de bank, waar ik het boek opensloeg dat Henry me voor de Kerst gegeven had. Ik keek op de klok.

Het was zeven uur 's avonds. Het zouden twee zeer lange weken worden.

HOOFDSTUK TWEE

De volgende ochtend, 24 december, holde ik vijf kilometer, nam een douche, at een kom cornflakes, pakte mijn spullen in een canvas boodschappentas, en tegen kwart voor negen was ik op weg naar Colgate, een snelle rit van zo'n vijftien kilometer. Tijdens mijn ontbijt had ik het dossier doorgekeken, en ik had geen flauw idee waarom er zo'n haast bij was. Het kranteverslag vermeldde dat het magazijn volledig was uitgebrand, maar er stond niets in over brandstichting, politie-onderzoek, of enig vermoeden dat er een luchtje aan de zaak zat. Er was ook een rapport van de brandweer en dat had ik twee keer doorgelezen. Alles leek me volkomen normaal. Blijkbaar was de brand ontstaan door een kortsluiting in het elektrisch systeem, die tegelijkertijd de sprinklerinstallatie buiten werking had gesteld. Aangezien in het twee verdiepingen tellende magazijn voornamelijk papiermateriaal lag opgeslagen, had de brand, die om twee uur 's nachts was ontstaan, snel om zich heen gegrepen. Volgens de brandmeester ter plaatse waren er geen aanwijzingen dat de brand aangestoken was, geen benzine of andere licht ontvlambare stoffen, en er was ook geen sprake van obstakels die het werk van de brandweerlieden bemoeilijkt hadden. Er waren geen deuren of ramen opengelaten om tocht te bevorderen, en ook verder waren er geen sporen die op een mogelijke brandstichting wezen. Ik had tientallen vrijwel identieke rapporten gelezen. Dus wat was hier nou eigenlijk het probleem? vroeg ik me af. Misschien had ik een cruciaal stukje informatie over het hoofd gezien, maar voor zover ik het kon bekijken was dit een standaard-claim. Mogelijk had iemand bij Wood/Warren California Fidelity onder druk gezet om de zaak zo snel mogelijk af te handelen, wat een verklaring zou kunnen zijn voor Andy's paniekerigheid. Hij is van nature een zenuwpees, vlassend op schouderklopjes, altijd beducht voor kritiek, midden in de huwelijksproblemen, naar ik gehoord had. Waarschijnlijk was hij de oorzaak van het vleugje hysterie dat aan deze zaak leek te kleven. En misschien zat Mac hem ook wel achter zijn vodden. Colgate is het slaapstadje dat aan Santa Teresa grenst en betaalbare huisvesting biedt aan de gemiddelde arbeider. Terwijl nieuwbouw in Santa Teresa streng gereguleerd wordt door Bouw- en Woningtoezicht, is er in Colgate maar raak gebouwd. Er is een hoofdstraat met aan weerszijden cafetaria's, ijzerhandels, hamburgertenten, schoonheidssalons en meubelzaken vol fineer en spaanplaat, velours en kunstleer. Vanaf de hoofdstraat waaieren de huizen uit in alle richtingen. Door de op gezette tijden veranderende bouwstijlen heeft het geheel wel iets weg van de jaarringen op een boomstronk. De nieuwste wijken lopen over in de ongerepte natuur, of wat daar nog van over is. Hier en daar zie je nog altijd de restanten van de oude citrusplantages die er ooit volop floreerden.

Wood/Warren lag aan een zijstraat die afboog naar een verlaten drive-in-bioscoop die tegenwoordig dienst doet als permanente lokatie voor een weekend-verzamelaarsbeurs. De groene gazons van de aangrenzende fabriekshallen waren kortgeknipt en de struiken waren tot keurige rechthoeken gesnoeid. Ik vond een parkeerplaats aan de voorkant van het bedrijf en sloot de auto af. Het gebouw was opgetrokken uit natuursteen. Het magazijn zelf bevond zich twee straten verderop. Ik zou de plaats van de brand inspecteren nadat ik met Lance Wood gesproken had.

De receptie was klein en sober ingericht met een bureau, een boekenkast en een uitvergrote foto van de FIFA 5000 Waterstof/Vacuüm Oven, het belangrijkste produkt van het bedrijf. Het apparaat zag eruit als een reusachtig onderdeel van een moderne keuken, compleet met roestvrij stalen aanrecht en ingebouwde magnetronoven. Volgens de gegevens die er keurig ingelijst naast hingen, verschafte de voorladende FIFA 5000 dertienduizend kubieke centimeter gelijkmatige hittezone voor het solderen in een waterstofmilieu of in een vacuüm, voor het aanbrengen van laagjes metaal op keramisch materiaal, of voor het fabriceren van keramiek-metaalverbindingen. Ik had het kunnen weten.

Achter me kwam de receptioniste terug naar haar bureau

met een vers kopje koffie en een styrofoam bakje dat naar worstjes en eieren rook. Het plastic naambordje op haar bureau vermeldde dat haar naam Heather was. Ze was in de twintig en had blijkbaar nog nooit gehoord van de gevaren van cholesterol en vet. Dat laatste zou ze binnen niet al te lange tijd op haar achterwerk terugvinden.
'Kan ik u helpen?' Haar geroutineerde glimlach toonde beugeltjes op haar tanden. Haar gezicht zag nog rood van de acnekuur die ze de vorige avond aangebracht had maar die tot dusver niet veel resultaat had opgeleverd.
'Ik heb om negen uur een afspraak met Lance Wood,' zei ik. 'Ik ben van de California Fidelity Verzekeringsmaatschappij.'
Haar glimlach verflauwde enigszins. 'U bent degene die de brandstichting onderzoekt?'
'Nou, ik ben hier vanwege de brandschadeclaim,' zei ik, terwijl ik me afvroeg of ze misschien abusievelijk veronderstelde dat 'brandstichting' en 'brand' onderling verwisselbare termen waren.
'O. Meneer Wood is er nog niet, maar hij kan ieder ogenblik komen,' zei ze. De beugeltjes maakten dat ze een beetje sliste, wat ze zelf wel grappig scheen te vinden. 'Wilt u misschien een kopje koffie terwijl u wacht?'
Ik schudde het hoofd. Er was één stoel beschikbaar. Ik ging zitten en bladerde een brochure door over het molybdeen rooster dat speciaal ontworpen was voor het anodiseren van aluminium bij 1450° C. in een klokvormige waterstofoven. Fascinerende lectuur, ongeveer net zo spannend als mijn handboek over de praktische aspecten van ballistiek, vuurwapens en de rechterlijke organisatie.
Door een open deur aan mijn linkerkant kon ik enkele van de kantoormedewerkers zien, nonchalant gekleed en druk in de weer, maar met sombere gezichten. Ik bespeurde niets van een kameraadschappelijke sfeer, maar misschien geeft het fabriceren van waterstofovens geen aanleiding tot het soort jovialiteit dat ik bij California Fidelity gewend ben. Twee bureaus stonden leeg.
Er was een poging gedaan om de boel ter gelegenheid van Kerstmis wat op te vrolijken. Er stond een kunstboom, hoog

en skeletachtig, volgehangen met veelkleurige versierselen. Er schenen geen lichtjes in de boom te hangen, waardoor het hele geval er nogal levenloos uitzag en de uniformiteit van de afzonderlijke losse takken in de voorgeboorde gaten van de aluminium stam des te meer opviel. Het effect was deprimerend. Volgens de informatie waarover ik beschikte, had Wood/Warren een omzet van tegen de vijftien miljoen dollar per jaar, en ik vroeg me af waarom ze geen echte spar hadden genomen.

Heather wierp me een onzeker glimlachje toe en begon te eten. Achter haar bevond zich een mededelingenbord dat versierd was met goudkleurige slingers en vol hing met kiekjes van personeelsleden en directie. Met zwierige, in de winkel gekochte zilverkleurige letters werd het personeel P-R-E-T-T-I-G-E F-E-E-S-T-D-A-G-E-N toegewenst.

'Mag ik even kijken?' vroeg ik, met een gebaar naar de collage.

Ondanks het feit dat ze haar mond vol had, slaagde ze erin om 'Ga uw gang' uit te brengen, met een hand voor haar mond om me het gezicht op haar fijngekauwde ontbijt te besparen.

De meeste foto's waren van personeelsleden, van wie ik er al enkele in het gebouw had gezien. Heather stond ook op een foto, haar blonde haar veel korter, haar gezicht een stuk molliger dan het nu was. De beugel om haar tanden was waarschijnlijk het laatste overblijfsel van haar tienerjaren. Wood/Warren moest haar aangenomen hebben direct nadat ze van school was gekomen. Op een van de foto's stond een ontspannen groepje van vier mannen in bedrijfsoveralls voor de ingang. Sommige van de foto's waren duidelijk geposeerd, maar het merendeel straalde iets uit van een opgewekte sfeer waar ik op dit moment niets van bespeurde. De oprichter van het bedrijf, Linden 'Woody' Wood, was twee jaar geleden gestorven, en ik vroeg me af of er mèt zijn heengaan ook iets van de arbeidsvreugde uit het bedrijf verdwenen was.

In het midden hing een studioportret van de Woods. Mevrouw Wood zat op een biedermeier stoeltje. Linden stond naast haar, zijn hand rustend op de schouder van zijn echtgenote. De vijf volwassen kinderen stonden om hun ouders heen. Lance had ik nog nooit eerder ontmoet, maar Ash kende ik omdat ik samen met haar op de high school had gezeten. Olive, die een jaar ouder was, had eveneens gedurende enige tijd de Santa Teresa High School bezocht, maar was in de loop van haar laatste jaar naar een kostschool verbannen. Daar zat waarschijnlijk een of ander schandaaltje aan vast, maar het fijne wist ik er niet van. De oudste van de vijf was Ebony, die nu inmiddels bijna veertig moest zijn. Ik herinnerde me dat ik ooit gehoord had dat ze met een of andere rijke playboy getrouwd was en in Frankrijk woonde. De jongste was een zoon, genaamd Bass, nog geen dertig, onbezonnen, onverantwoordelijk, een mislukt acteur en ongetalenteerd musicus die volgens de laatste berichten in New York City woonde. Ik had hem acht jaar geleden een keer ontmoet via mijn ex-echtgenoot Daniel, die jazzpianist is. Bass was het zwarte schaap van de familie. Van Lance wist ik verder niets af.

Toen ik een uur en zes minuten later tegenover hem aan zijn bureau zat, begon ik me langzamerhand wel een idee over hem te vormen. Lance was om half tien binnen komen stuiven. De receptioniste vertelde hem wie ik was. Hij stelde zich voor en we gaven elkaar een hand. Hij zei dat hij even snel een telefoontje moest plegen en dan zou hij tot mijn beschikking staan. Ik zei 'Prima' en daarna zag ik hem pas weer terug om zes minuten over tien. Tegen die tijd had hij zijn colbert uitgetrokken en zijn stropdas en het bovenste knoopje van zijn overhemd losgemaakt. Hij zat met zijn voeten op zijn bureau, zijn gezicht olieachtig glanzend onder de TL-verlichting. Hij moest achter in de dertig zijn, maar het ouder worden ging hem niet goed af. Een of andere combinatie van humeurigheid en ontevredenheid had diepe groeven rond zijn mond geëtst en het heldere bruin van zijn ogen dof gemaakt, waardoor hij de indruk maakte van een man die door de Schikgodinnen het leven zuur werd gemaakt. Zijn haar was lichtbruin, dun van boven, en recht achterover gekamd. Ik had het idee dat het verhaal van dat telefoontje een smoes was. Hij kwam op mij over als het soort man dat zijn gevoel van gewichtigheid opschroefde

door mensen te laten wachten. Zijn glimlach was zelfvoldaan, en de energie die hij uitstraalde was geladen met spanning.
'Sorry voor het oponthoud,' zei hij. 'Wat kan ik voor u doen?' Hij zat wijdbeens achterover geleund in zijn draaistoel.
'Ik heb begrepen dat u een claim hebt ingediend tengevolge van een recente brand.'
'Dat klopt, en ik hoop dat u daar niet moeilijk over gaat doen. Gelooft u me, ik vraag niets waar ik geen recht op heb.'
Ik mompelde iets neutraals, in de hoop het feit te verbergen dat ik op 'fraude-alarm' was overgegaan. Elke verzekeringsfraudeur die ik ooit ontmoet had zei exact hetzelfde, inclusief het vrome hoofdknikje. Ik haalde mijn tape-recorder te voorschijn, zette hem aan, en plaatste hem op het bureau.
'Het is voorschrift van de maatschappij dat ik het gesprek opneem,' zei ik.
'Prima.'
Vervolgens sprak ik enkele gegevens in op de recorder, te beginnen met mijn naam, gevolgd door de vermelding van het feit dat ik voor California Fidelity werkte, datum en tijdstip van het gesprek, en de constatering dat ik met Lance Wood sprak in zijn hoedanigheid van president-directeur van Wood/Warren, het adres van de firma en de aard van de schade.
'Meneer Wood, u begrijpt dat dit gesprek opgenomen wordt?' zei ik voor de goede orde.
'Jazeker.'
'En ik heb ook uw toestemming om het gesprek op te nemen?'
'Ja, ja,' zei hij met dat ongeduldige handgebaar dat wil zeggen 'Laten we nou maar opschieten'.
Ik wierp een blik op het dossier. 'Kunt u mij de bijzonderheden geven van de brand die in het Wood/Warren-magazijn op Fairweather 606 heeft plaatsgevonden op negentien december van dit jaar?'
Hij verschoof ongeduldig in zijn stoel. 'Nou, eigenlijk was ik de stad uit, maar van wat me verteld is...' De intercom

begon te zoemen en hij nam de hoorn van de haak en blafte erin: 'Ja?'
Het bleef even stil. 'Nou, verdomme, verbind haar dan door.' Hij wierp me een snelle blik toe. 'Nee, wacht even, ik neem hem daar wel.' Hij legde de hoorn neer, verontschuldigde zich kortaf en liep de kamer uit. Ik zette de recorder uit, terwijl ik mijn gedachten liet gaan over de korte indruk die ik van hem had gekregen. Hij begon zwaar in de taille te worden en zijn gabardine pantalon kroop onflatteus op. Zijn overhemd plakte aan zijn rug vast en hij rook doordringend naar zweet - niet die gezonde dierlijke geur die het gevolg is van zware lichamelijke inspanning, maar de scherpe, enigszins afstotende geur van stress. Hij had een vale teint en hij zag er op de een of andere manier niet gezond uit.
Ik wachtte een kwartier en liep toen op mijn tenen naar de deur. De receptie was verlaten. Geen teken van Lance Wood. Geen teken van Heather. Ik liep naar de deur die toegang gaf tot Woods privé-kantoor. Ik ving een glimp op van iemand die aan de achterkant van het gebouw naar binnen ging en die sterk op Ebony leek, maar ik wist het niet zeker. Een vrouw keek me aan. Het naambordje op haar bureau vermeldde dat ze Ava Daugherty was, de cheffin van de administratie. Ze was achter in de veertig met een smal, donker gezicht en een neus die eruit zag alsof hij chirurgisch bewerkt was. Over haar korte zwarte haar lag de glans van hairspray. Ze voelde zich ergens ongelukkig over, mogelijk het feit dat zojuist een van haar felrode acryl-vingernagels was afgebroken.
'Ik word geacht een gesprek te hebben met Lance Wood, maar hij is verdwenen. Weet u waar hij heen is?'
'Hij is vertrokken.' Ze likte voorzichtig aan de afgebroken nagel, alsof haar speeksel een soort plakmiddel was.
'Vertrokken?'
'Inderdaad.'
'Heeft hij gezegd wanneer hij terug zou zijn?'
'Meneer Wood legt tegenover mij geen verantwoording af,' zei ze snibbig. 'Maar als u wilt kan ik uw naam noteren, en dan neemt hij vast wel contact met u op.'
Een stem zei: 'Problemen?'
We keken allebei op en zagen een man met donker haar in

de deuropening achter me staan. Ava Daugherty's houding werd iets minder vijandig. 'Dit is onze onderdirecteur,' zei ze tegen mij. En tegen hem: 'Ze heeft een afspraak met Lance, maar hij is weggegaan.'
'Terry Kohler,' zei hij tegen mij terwijl hij zijn hand uitstak. 'Ik ben de zwager van Lance Wood.'
'Kinsey Millhone, van California Fidelity,' zei ik, terwijl ik hem een hand gaf. 'Prettig kennis met u te maken.' Zijn handdruk was warm en stevig. Hij was mager en gespierd, met een donkere snor en grote, donkere ogen die intelligentie uitstraalden. Hij moest begin veertig zijn. Ik vroeg me af met welke van de zussen hij getrouwd was.
'Wat is het probleem? Misschien kan ik u ergens mee helpen?'
Ik vertelde hem in het kort wat ik kwam doen en zei dat Lance Wood me zonder enige verklaring gewoon had laten zitten.
'Zal ik u het magazijn laten zien?' zei hij. 'Dan kunt u in elk geval alvast de plaats van de brand inspecteren, wat naar ik aanneem ook tot uw werkzaamheden behoort.'
'Dat zou ik zeer op prijs stellen. Is er hier verder nog iemand die bevoegd is om me de informatie die ik nodig heb te verschaffen?'
Terry Kohler en Ava Daugherty wisselden een blik waar ik geen wijs uit kon worden.
'U kunt maar beter op Lance wachten,' zei hij. 'Als u even geduld hebt, zal ik zien of ik te weten kan komen waar hij heen is.' Hij liep het kantoor uit.
Ava en ik zwegen allebei. Ze trok haar rechter bovenla open en haalde daar een tube Krazy Glue uit te voorschijn. Ze negeerde me nadrukkelijk terwijl ze de dop eraf haalde en een heldere druppel op de afgebroken vingernagel liet vallen. Ze fronste het voorhoofd. Er zat een lange, donkere haar in de lijm en ik keek toe terwijl ze probeerde die eruit te vissen.
Gedachteloos volgde ik het gesprek achter me, drie ingenieurs in een lusteloze discussie over het probleem waarvoor ze zich gesteld zagen.
'Misschien klopt de berekening niet, maar dat geloof ik

niet,' zei er een.
'Daar komen we vanzelf wel achter,' zei een ander. Alle drie de mannen lachten.
'We kregen het erover ... dat is iets waar ik al zo vaak over nagedacht heb ... Wat zou er nodig zijn om dat om te zetten in een pulserende toevoer van spanning?'
'Hangt af van je pulsfrequentie.'
'Ongeveer tien Hertz.'
'Wow.'
'Je moet op een of andere manier een signaal moduleren dat beïnvloed wordt door de stroom die door de schakelingen gevoerd wordt. Je weet wel, spanning erop gedurende negen-tiende van een seconde, eraf gedurende één-tiende. Metingen verrichten...'
'Uh huh. Een halve seconde aan, een-tiende seconde uit. Niet echt eenvoudig, hè?'
'De PID is in staat het signaal zo snel uit te sturen. Ik weet alleen niet precies hoe de NCR's erop zouden reageren. En of de VRT-installatie het wel aankan...'
Ik sloot me af voor hun gesprek. Voor zover ik het begreep hadden ze net zo goed plannen kunnen smeden voor het einde van de wereld.
Het duurde tien minuten voordat Terry Kohler terugkwam. Hij schudde geërgerd het hoofd.
'Ik begrijp niet wat er hier allemaal aan de hand is,' zei hij. 'Lance is weggeroepen voor een of andere dringende kwestie en Heather is nergens te bekennen.' Hij hield een sleutelring omhoog. 'Ik breng u wel naar het magazijn. Ava, zeg maar tegen Heather dat ik de sleutels heb als ze terugkomt.'
'Ik moet mijn camera even pakken,' zei ik. 'Die zit in mijn tas.'
Hij volgde me geduldig terwijl ik terug liep naar het kantoor van Lance Wood. Ik pakte de canvas tas waar mijn camera in zat, stopte er ook mijn portefeuille in en liet mijn handtas in het kantoor staan.
Samen liepen we weer terug door de receptie en de kantoorruimte daarachter. Niemand keek op terwijl we langsliepen, maar nieuwsgierige blikken volgden ons in stilte, net als in die portretten waarvan de ogen lijken te bewegen.
Het montagewerk werd gedaan in een grote, goed geventi-

leerde ruimte in het achterste gedeelte van het gebouw met golfijzeren wanden en een betonnen vloer.
We bleven maar een keer staan terwijl Terry me voorstelde aan een zekere John Salkowitz. 'John is scheikundig ingenieur en adviserend vennoot,' zei Terry. 'Hij werkt hier al vanaf zesenzestig. Als je iets wilt weten over hoge-temperatuurtechniek, dan is hij de man bij wie je moet zijn.'
Ik kon zo gauw geen vraag bedenken - behalve misschien over die pulserende toevoer van spanning of zoiets.
Terry liep in de richting van de achterdeur, en ik liep achter hem aan.
Aan de rechterkant was een extra-brede stalen roldeur die omhoog kon om binnenkomende of uitgaande zendingen door te laten. We liepen een steeg in en staken dwars over naar de straat die verderop liep.
'Met welke van de Wood-zusjes bent u getrouwd?' vroeg ik. 'Ik heb samen met Ash op school gezeten.'
'Olive,' zei hij met een glimlach. 'Hoe was jouw naam ook alweer?'
Dat vertelde ik hem en tijdens onze korte wandeling praatten we over koetjes en kalfjes, totdat het geblakerde skelet van het magazijn voor ons opdoemde.

HOOFDSTUK DRIE

Het kostte me drie uur om de plaats waar de brand gewoed had te inspecteren. Terry maakte uit gewoonte de voordeur open, hoewel het gebaar eigenlijk lachwekkend was, gezien de ravage die de brand had aangericht. Het geraamte van het gebouw stond nog grotendeels overeind, maar de bovenverdieping was ingestort waardoor er zich op de begane grond een vrijwel ondoordringbare massa geblakerd puin had opgehoopt. Het glas in de ramen van de benedenverdieping was door de hitte gesprongen. Metalen leidingen lagen bloot, veelal verwrongen door het gewicht van de instortende muren. Voor zover er nog herkenbare voorwerpen waren overgebleven, waren die tot hun abstracte vormen gereduceerd, ontdaan van kleur en detail.
Toen het duidelijk werd dat ik daar nog wel een tijdje bezig zou zijn, verontschuldigde Terry zich en ging terug naar de fabriek. Wood/Warren ging die dag vroeg dicht aangezien het de dag voor Kerstmis was. Hij zei dat als ik op tijd klaar zou zijn, ik welkom was op de Kerstborrel van het personeel. Ik had mijn meetlint, notitieboekje, schetsboek en potloden al te voorschijn gehaald, ondertussen bedenkend in welke volgorde ik te werk zou gaan. Ik bedankte hem voor de uitnodiging, me nauwelijks bewust van zijn vertrek.
Ik liep langs de omtrek van het gebouw heen, noteerde waar de brand het hevigst had gewoed, controleerde de ramen op de begane grond op sporen van braak. Ik wist niet precies hoe snel de bergingsploeg zou verschijnen en aangezien er geen duidelijke aanwijzingen van brandstichting waren, had ik niet het idee dat California Fidelity op uitstel zou kunnen aandringen. Maandagochtend zou ik een achtergrondonderzoek instellen naar de financiële situatie van Lance Wood om er zeker van te zijn dat er geen sprake was van een verborgen winstmotief voor de brand zelf...in dit geval louter een formaliteit, aangezien de brandmeester in zijn rapport de mogelijkheid van brandstichting al uitgesloten had. Om-

dat dit waarschijnlijk onze enige kans was om het perceel te inspecteren, fotografeerde ik alles. Ik schoot twee filmrolletjes vol van vierentwintig opnamen elk.
Voor zover ik het kon bekijken, was de brand waarschijnlijk ontstaan in de buurt van de noordelijke muur, wat in overeenstemming leek met de theorie van een kortsluiting. Ik zou het bedradingsschema moeten controleren aan de hand van de oorspronkelijke blauwdrukken, maar ik vermoedde dat de brandmeester dat al gedaan had. In dit achtergedeelte van het gebouw was het houtwerk het zwaarst verkoold. Aangezien hete gassen opstijgen en vuur zich normaal gesproken een weg naar boven baant, is het meestal mogelijk om het traject van de vlammen te volgen, die zich gewoonlijk in opwaartse richting bewegen totdat ze ergens door gestuit worden, waarna ze zich in horizontale richting verplaatsen, op zoek naar andere verticale uitwegen.
Het grootste deel van het interieur was in de as gelegd. De draagmuren stonden nog overeind, zwart en broos als sintel. Voorzichtig baande ik me een weg door de geblakerde puinhopen, terwijl ik de ravage zo gedetailleerd mogelijk in kaart bracht en aantekeningen maakte over de graad van verbranding, de algemene aanblik en de staat van verkoling van verbrande voorwerpen. Alles wat ik tegenkwam was zwart of asgrauw gekleurd door de intense hitte. De stank was me vertrouwd: verbrand hout, roet, de vochtige geur van doorweekt isolatiemateriaal, het vage chemische aroma van alledaagse materialen die tot hun wezenlijke bestanddelen waren teruggebracht. Er hing ook nog een andere geur die ik niet precies kon thuisbrengen, maar die waarschijnlijk veroorzaakt werd door de materialen die daar opgeslagen hadden gelegen. Toen ik de dag daarvoor Lance Wood gebeld had, had ik om kopieën van de voorraadstaten gevraagd. Die zou ik wel eens napluizen om te zien of ik de bron van die geur kon achterhalen. Het zat me niet lekker dat ik de plaats van de brand moest inspecteren zonder de gelegenheid te hebben gehad om met hem te praten, maar ik had niet veel keus nu hij verdwenen was. Misschien zou hij op tijd terug zijn voor de Kerstborrel en kon ik alsnog een afspraak met hem maken voor maandagochtend vroeg.

Om twee uur borg ik mijn schetsblok op en klopte mijn spijkerbroek af. Mijn sportschoenen waren vrijwel wit van de as, en ik vermoedde dat mijn gezicht ook wel vuil zou zijn. Evengoed was ik redelijk tevreden met het werk dat ik gedaan had. Wood/Warren zou bij verschillende aannemers offerte moeten vragen, en die offertes zouden aan California Fidelity voorgelegd worden samen met mijn aanbeveling betreffende honorering van de schadeclaim. Gemeten naar de standaardnorm schatte ik zo'n vijfhonderdduizend dollar vervangingswaarde met een aanvullende uitkering voor de verloren gegane voorraden.
De Kerstborrel was inderdaad al aan de gang. De feestelijkheden concentreerden zich in het kantoorgedeelte, waar een grote punchkom op een tekentafel was neergezet. Bureaus waren leeggemaakt om plaats te maken voor schalen met koud vlees, kaas en crackers, plakken vruchtencake en zelfgebakken koekjes. Er was zo'n zestig man personeel aanwezig, dus het was behoorlijk rumoerig, ook al omdat de sfeer steeds losser en opgewekter werd naarmate de kom met champagnepunch leger werd. Via het intercomsysteem schalde een soort reggae-versie van kerstliedjes door het gebouw.
Lance Wood was nog steeds nergens te zien, maar even verderop zag ik Heather, haar gezicht enigszins verhit door de drank. Terry Kohler zag me staan en baande zich een weg naar me toe. Toen hij me bereikt had, bracht hij zijn mond vlak bij mijn oor.
'We kunnen maar beter je tasje even ophalen voordat het uit de hand gaat lopen,' riep hij. Ik knikte heftig en schuifelde achter hem aan door de receptie naar het kantoor van Lance. De deur stond open en zijn bureau was in gebruik als bar. Er stonden flessen drank, plastic glazen en een bak met ijsklontjes op en verscheidene mensen bedienden zich zowel van de drank als van het comfortabele meubilair van de baas. Iemand had mijn handtas op een veilige plek gezet, in de smalle ruimte tussen een dossierkast en een boekenkast die vol stond met technische handboeken. Ik stopte mijn camera en schetsblok erin en hing de tas aan mijn rechterschouder. Terry bood aan om een glas punch voor

me te halen en na een korte aarzeling stemde ik toe. Nou ja, waarom ook niet?
Mijn eerste impuls was om weg te gaan zodra ik me met goed fatsoen terug kon trekken. Over het algemeen voel ik me niet zo op mijn gemak in grote gezelschappen, en in dit geval kende ik helemaal niemand. Ik bleef alleen maar hangen omdat ik de absolute zekerheid had dat ik nergens terecht kon. Dit zou vermoedelijk mijn enige Kerstfeestje zijn en ik vond dat ik er dan ook maar het beste van moest zien te maken. Ik nam een glas punch aan, at wat crackers met kaas en een paar met roze en groene suiker bestrooide koekjes, glimlachte vriendelijk en gedroeg me in het algemeen zeer sociaal tegen iedereen die in mijn buurt kwam. Tegen drieën, toen het feestje echt op gang begon te komen, excuseerde ik me en verliet het pand. Ik was nog maar net de deur uit toen ik iemand mijn naam hoorde roepen. Ik draaide me om. Heather kwam achter me aan met een envelop met het logo van Wood/Warren er op in haar uitgestoken hand.
'Gelukkig dat ik u nog zie,' zei ze. 'Ik geloof dat meneer Wood u dit wilde meegeven voordat u vertrok. Hij werd onverwacht weggeroepen. Het lag in het "Uit"-bakje op mijn bureau.'
'Bedankt.' Ik maakte de envelop open en bekeek de inhoud: voorraadstaten. 'O, fantastisch,' zei ik, verbaasd dat hij daar nog aan gedacht had terwijl hij bezig was met zijn verdwijntruc. 'Ik bel maandag wel om een nieuwe afspraak met hem te maken.'
'Sorry voor vandaag,' zei ze. 'Prettige Kerstdagen!' Ze zwaaide en haastte zich toen weer terug naar het feestje. De deur was inmiddels wijdopen gezet en sigaretterook en lawaai dreven in gelijke hoeveelheden naar buiten. Ava Daugherty stond naar ons te kijken, haar blik nieuwsgierig gericht op de envelop die Heather me gegeven had en die ik net in mijn handtas stopte. Ik liep naar mijn auto en reed terug naar de stad.
Voordat ik naar huis ging, wipte ik even mijn kantoor binnen. Achter de glazen deuren van California Fidelity was het donker. Net als veel andere firma's was CF de dag voor

Kerstmis vroeg dicht gegaan. Ik maakte de deur van mijn kantoor open, gooide het dossier op mijn bureau en zette mijn antwoordapparaat aan om te horen of er nog boodschappen waren. Ik belde het nummer van de brandmeester om even snel de gegevens die ik had te verifiëren, maar hij was ook al naar huis. Ik liet mijn telefoonnummer achter en ze zeiden dat hij waarschijnlijk pas maandag zou terugbellen. Tegen vieren was ik weer terug in mijn appartement. En daar bleef ik het hele weekend.

Eerste Kerstdag bracht ik in mijn eentje door, maar ik voelde me niet ongelukkig.

De dag daarna was het zondag. Ik maakte mijn appartement schoon, deed een paar boodschappen, zette potten hete thee, en las.

Maandag 27 december was ik weer aan het werk. Ik zat aan mijn bureau in een niet al te best humeur en probeerde mijn inspectie van de brand tot een samenhangend verslag samen te vatten.

De telefoon ging. Ik hoopte dat het mevrouw Brunswick van de bank was die me terugbelde om me te vertellen dat die vijfduizenddollarvergissing rechtgezet was. 'Detectivebureau Millhone,' zei ik.

'O, hallo Kinsey. Met Darcy van hiernaast. Ik vroeg me af wanneer ik dat dossier kon komen ophalen.'

'Darcy, het is pas kwart over tien! Ik ben ermee bezig, okay?' Ik slikte nog net op tijd een lelijk woord in, want ik weet dat ze daar aanstoot aan neemt.

'Nou, je hoeft niet zo'n toon tegen me aan te slaan,' zei ze. 'Ik heb tegen Mac gezegd dat het rapport nog wel niet klaar zou zijn, maar hij zegt dat hij in elk geval toch eerst het dossier nog wil doornemen.'

'Waarom in vredesnaam?'

'Ik weet het niet, Kinsey. Hoe moet ik dat nou weten? Ik bel omdat er een memo in het "Spoed"-bakje op mijn bureau ligt.'

'O, je "Spoed"-bakje. Had dat dan meteen gezegd. Kom dat ding dan maar halen.'

Een slecht humeur en intuïtie gaan niet goed samen. Wat het ook was dat me dwars zat in deze zaak, ik kon er geen

vat op krijgen zolang Darcy me op bleef jagen. Het eerste wat ik die ochtend gedaan had, was een formulier invullen voor het Bureau Verzekeringsfraude met het verzoek om na te gaan of hun computer over gegevens met betrekking tot Lance Wood beschikte. Misschien zou er ergens in het verleden een eerdere brandschadeclaim opduiken en dat was een van de dingen die me dwars zaten. Het resultaat van het computeronderzoek zou nog wel een dag of tien op zich laten wachten, maar dan had ik in elk geval gedaan wat ik kon. Ik draaide het formulier in mijn machine, tikte de naam van de verzekerde in, plaats, datum en tijdstip van de schadegebeurtenis.
Toen Darcy mijn kantoor binnenkwam om het dossier op te halen, zei ik zonder op te kijken: 'Ik heb op weg hierheen de fotorolletjes bij Speedee-foto afgeleverd. Om twaalf uur zijn de afdrukken klaar. Ik heb nog geen gelegenheid gehad om met Lance Wood of met de brandmeester te praten.'
'Ik zal het aan Mac doorgeven,' zei ze koeltjes.
Nou ja, dacht ik, ze is toch al nooit een goeie vriendin van me geweest.
Aangezien er geen ruimte was waar je ongespecificeerde vermoedens in kon tikken, hield ik mijn rapport volkomen neutraal. Toen ik klaar was, trok ik het formulier van de rol, zette er de datum onder, ondertekende het en legde het opzij. Ik had nog een uur voordat ik de foto's op kon halen, dus werkte ik mijn situatieschets van het magazijn bij en hechtte die met een paperclip aan het rapport.
De telefoon ging. Ditmaal was het Andy. 'Zou je even op Macs kantoor willen komen?'
Ik onderdrukte mijn irritatie, want het leek me beter om de chef schadeclaims niet tegen me in het harnas te jagen. 'Best, maar de foto's krijg ik pas over een uur.'
'Dat begrijpen we. Breng maar mee wat je hebt.'
Ik hing op, pakte mijn rapport en de schets, sloot mijn kantoor af en liep naar CF, een deur verderop. Wat bedoelt-ie met 'we'? dacht ik.
Meteen toen ik Macs kantoor binnenstapte wist ik dat er iets fout zat. Ik kende Maclin Voorhies al vanaf het moment dat ik voor California Fidelity begon te werken, bijna

tien jaar geleden. Hij is nu in de zestig, met een mager, streng gezicht. Het weinige grijze haar dat hij nog heeft omkranst zijn hoofd als de pluizen van een paardebloem, hij heeft grote oren met lange oorlellen, een knolvormige neus en kleine zwarte ogen onder borstelige witte wenkbrauwen. Zijn lichaam maakt een misvormde indruk: lange benen, kort bovenlichaam, smalle schouders, armen te lang voor de gemiddelde mouwlengte. Hij is intelligent, bekwaam, zuinig met complimentjes, humorloos en devoot katholiek, wat tot uiting komt in een huwelijk dat al vijfendertig jaar standhoudt en acht kinderen, allemaal al volwassen. Ik heb hem nog nooit een sigaar zien roken, maar meestal kauwt hij op een stompje, en de daaruit voortvloeiende nicotine-aanslag heeft zijn tanden de kleur gegeven van een oude closetpot.
Dat er iets mis was, maakte ik niet zozeer op uit zijn gelaatsuitdrukking, die niet onvriendelijker was dan gewoonlijk, maar uit die van Andy die links naast hem stond. Andy en ik kunnen normaal gesproken al niet goed met elkaar overweg. Op zijn tweeënveertigste is hij nog altijd een kontlikker, er voortdurend op uit om situaties zodanig te manoeuvreren dat hij een goede indruk maakt. Hij heeft een bol gezicht en het lijkt of zijn boord te strak zit en alles aan hem irriteert me. Sommige mensen hebben nou eenmaal zo'n uitwerking op mij. Op dat moment maakte hij een tegelijkertijd rusteloze en zelfvoldane indruk, terwijl hij angstvallig mijn blik vermeed.
Mac zat het dossier door te bladeren. Hij keek ongeduldig op naar Andy. 'Heb jij niets te doen?'
'Wat? Ja, natuurlijk. Ik dacht dat u wilde dat ik erbij bleef.'
'Andy, ik handel dit zelf wel af. Jij hebt het vast al druk genoeg.' Andy mompelde iets waardoor het leek of het briljante idee om aan het werk te gaan van hemzelf afkomstig was. Mac schudde zuchtend het hoofd terwijl Andy de deur achter zich dicht trok. Ik keek toe terwijl hij het sigarestompje van de ene mondhoek naar de andere liet rollen. Hij keek verbaasd op, alsof hij zich zojuist pas gerealiseerd had dat ik daar stond. 'Wat kun je me over deze zaak vertellen?'

Ik vertelde hem wat er tot dusver gebeurd was, zonder te vermelden dat het dossier drie dagen lang op Darcy's bureau gelegen had voordat ik het in handen kreeg. Dat deed ik niet uitsluitend om haar in bescherming te nemen. Zakelijk gezien is het niet verstandig om mensen die je nog wel eens nodig zou kunnen hebben tegenover hun meerderen zwart te maken. Ik vertelde hem dat ik op twee filmrolletjes zat te wachten, dat er nog geen taxaties waren verricht, maar dat de schadeclaim voor zover ik het kon bekijken een routinekwestie was. Ik overwoog nog even om hem deelgenoot te maken van het onbehaaglijke gevoel dat ik over deze zaak had, maar liet dat idee direct weer varen. Ik wist zelf niet precies wat me dwars zat en het leek me verstandiger om me bij de feiten te houden.
De frons op Macs gezicht was al verschenen toen ik nog maar net met mijn verhaal begonnen was, maar wat me verontrustte was de stilte die viel toen ik uitgesproken was. Mac is iemand die vragen op je afvuurt. Hij zit maar zelden zwijgend voor zich uit te staren zoals hij nu deed.
'Wil je me vertellen wat er nu eigenlijk precies aan de hand is?' zei ik.
'Heb je het memo gezien dat aan de omslag van dit dossier gehecht zat?'
'Wat voor memo? Er was helemaal geen memo,' zei ik.
Hij stak me een California Fidelity-memo toe, zo'n acht bij dertien centimeter, volgeschreven met het krullerige handschrift van Jewel. 'Kinsey...het ziet ernaar uit dat deze zaak stinkt. Sorry dat ik geen tijd heb om je op de hoogte te brengen, maar het blijkt duidelijk uit het rapport van de brandmeester. Hij zei dat je hem moest bellen als je er het fijne van wilde weten. J.'
'Dit zat niet bij het dossier toen ik het kreeg.'
'En het rapport van de brandweer? Zat dat er ook niet bij?'
'Natuurlijk wel. Dat is het eerste wat ik doorgenomen heb.'
Macs gezicht stond somber. Hij reikte me het dossier aan, opengeslagen bij het brandweerrapport. Ik keek naar het vertrouwde formulier van de brandweer van Santa Teresa. De bijkomstige informatie was precies zoals ik me die herinnerde. Het volledige verslag had ik nog nooit eerder gezien.

De brandmeester, John Dudley, had zijn onderzoek kort samengevat in een ondubbelzinnige verklaring dat er vermoedelijk sprake was van brandstichting. Het knipsel dat nu aan het dossier was toegevoegd eindigde met een alinea van dezelfde strekking.

Ik voelde het bloed naar mijn gezicht stijgen terwijl tegelijkertijd een angstig voorgevoel me bekroop. Ik zei: 'Dit is niet het rapport dat ik onder ogen heb gehad.' Ik herkende mijn eigen stem nauwelijks. Hij stak zijn hand uit en ik gaf hem het dossier terug.

'Ik heb vanochtend een telefoontje gehad,' zei hij. 'Iemand beweert dat je je hebt laten omkopen.'

Ik staarde hem aan. 'Wàt?'

'Heb je daar iets op te zeggen?'

'Dat is absurd. Wie heeft er gebeld?'

'Laten we dat er nu even buiten laten.'

'Kom nou, Mac. Iemand beschuldigt me van een strafbaar feit en ik wil weten wie dat is.'

Hij zei niets, maar zijn gezicht nam de koppige uitdrukking aan die ik inmiddels maar al te goed kende.

'Goed, laten we dat maar even vergeten,' gaf ik toe. Het leek me beter om eerst het hele verhaal te horen te krijgen voordat ik me druk zou maken over de rolbezetting. 'Wat heeft die geheimzinnige beller gezegd?'

Hij leunde achterover in zijn fauteuil en bestudeerde de koude askegel van zijn sigaar. 'Iemand heeft gezien dat je een envelop aannam van de secretaresse van Lance Wood,' zei hij.

'Lulkoek. Wanneer?'

'Afgelopen vrijdag.'

In een flits zag ik Heather die mijn naam riep toen ik de fabriek verliet. 'Dat waren voorraadstaten. Ik had Lance Wood om die lijsten gevraagd en hij had ze in zijn "Uit"-bakje gelegd.'

'Welke voorraadstaten?'

'Ze zitten in het dossier.'

Hij schudde het hoofd terwijl hij het dossier doorbladerde. Van waar ik stond, kon ik zien dat er maar twee of drie losse vellen papier in het dossier zaten. Niets dat ook maar

enigszins leek op de voorraadstaten die ik geperforeerd en in het dossier gestoken had. Hij keek me aan. 'Hoe was het gesprek met Wood?'
'Dat is er nog niet van gekomen. Hij werd weggeroepen voor een of andere spoedeisende aangelegenheid. Ik zou vandaag een nieuwe afspraak met hem maken.'
'Hoe laat?'
'Dat weet ik nog niet. Ik heb hem nog niet gebeld. Ik wilde eerst mijn rapport uittikken.' Het klonk verdedigend, of ik wilde of niet.
'Is dit die envelop?' Mac had de bekende envelop met het Wood/Warren-logo in zijn hand, alleen stond er nu een mededeling op de voorkant geschreven. 'Hoop dat dit voorlopig genoeg is. Rest volgt zoals afgesproken.'
'Godverdomme Mac, dat geloof je toch zeker niet? Als ik me al zou laten omkopen, dan zou ik die envelop toch niet in het dossier laten zitten?'
Geen antwoord. Ik probeerde het opnieuw. 'Denk je nou echt dat Lance Wood me omgekocht heeft?'
'Ik denk helemaal niets, behalve dat we deze kwestie tot op de bodem uit moeten zoeken. In jouw eigen belang en in het onze...'
'Als ik geld aangenomen zou hebben, waar is dat dan gebleven?'
'Dat weet ik niet, Kinsey. Zeg jij het maar. Als het cash was, zou het niet zo moeilijk te verbergen zijn.'
'Dan zou ik toch volkomen geschift moeten zijn! Ik zou een idioot moeten zijn en hij ook. Als hij me om zou willen kopen, denk je dan echt dat hij zo stom zou zijn om het geld in een envelop te doen en praktisch met zoveel woorden op de envelop te schrijven dat het steekpenningen betrof? Mac, het is zo klaar als een klontje dat iemand probeert mij erin te luizen!'
'Waarom zou iemand zoiets doen?' Het klonk niet beschuldigend. Het idee alleen al scheen hem oprecht te verbazen. 'Wie zou zich al die moeite getroosten alleen maar om jou dwars te zitten?'
'Hoe moet ik dat weten? Misschien probeert iemand Lance Wood een loer te draaien en ben ik daar buiten mijn mede-

'En hoe zit het met u? Wat is er verder nog meer aan de hand, afgezien van die echtscheiding?'
Hij pakte een potlood en begon ermee te spelen. Even later wierp hij me een raadselachtige blik toe. 'Ik heb een zus die drie maanden geleden uit Parijs is teruggekomen. Het gerucht gaat dat zij de leiding van de fabriek wil overnemen.'
'Is dat Ebony?'
Hij scheen verbaasd. 'Ken je haar?'
'Niet goed, maar ik weet wie ze is.'
'Ze is het niet eens met de manier waarop ik de zaak leid.'
'Zou zij hier achter kunnen zitten?'
Hij staarde me even aan en stak toen zijn hand uit naar de telefoon. 'Ik kan maar beter mijn advokaat bellen.'
'Dat geldt voor ons allebei,' zei ik.
Ik vertrok en reed terug naar de stad.

Voor zover ik wist, was de officier van justitie nog niet ingelicht en was er nog geen aanklacht ingediend. Een geldig arrestatiebevel moet gebaseerd zijn op een aanklacht die gestaafd wordt met feiten die op de eerste plaats aantonen dat er een misdaad is gepleegd, en op de tweede plaats dat de aanklager of zijn informatie betrouwbaar is. Op dit moment was het enige dat Mac had een anoniem telefoontje en een paar bezwarende omstandigheden. Hij zou iets moeten ondernemen. Als de beschuldiging terecht was, dan zouden de belangen van CF beschermd moeten worden. Ik vermoedde dat hij al mijn werkzaamheden zou natrekken, opdracht na opdracht, om te zien of er misschien ergens een gerucht over mogelijk wangedrag van mijn kant de kop opgestoken had. Misschien zou hij wel een privé-detective in de arm nemen om de zaken van Wood/Warren, Lance Wood zelf, en misschien ook wel mij, aan een nader onderzoek te onderwerpen - een heel nieuw idee. Ik vroeg me af hoe mijn leven eruit zou zien als het aan een professioneel onderzoek zou worden onderworpen. Die vijfduizend dollar zouden zeker aan het licht komen. Ik wist niet wat ik daarmee aan moest. De storting op zich was al uiterst belastend voor me, maar als ik het geld probeerde weg te werken, zou het er alleen nog maar beroerder voor me uitzien.

De rest van de dag kan ik me alleen nog maar fragmentarisch herinneren. Ik sprak met Lonnie Kingman, een strafpleiter voor wie ik in het verleden wel eens wat werk had gedaan. Hij is voor in de veertig, met het gezicht van een bokser; zware wenkbrauwen en een gebroken neus. Zijn haar is borstelig en zijn kostuums lijken gewoonlijk te krap in de schouders. Hij is ongeveer een meter zestig lang en weegt vermoedelijk een kilo of negentig. Hij doet aan gewichtheffen in dezelfde sportschool waar ik ook kom en daar zie ik hem af en toe honderdveertig kilo opdrukken terwijl de schijven aan weerskanten van de stang wiebelen als emmers water. Hij is summa cum laude afgestudeerd aan de rechtenfaculteit van Stanford en hij draagt zijden overhemden met zijn monogram op de manchetten.
Advokaten zijn mensen die op de meest geruststellende toon dingen kunnen zeggen waardoor je zou willen gaan gillen en je kleren kapot scheuren. Net als artsen schijnen ze zich verplicht te voelen om je volledig op de hoogte te brengen van alle ellende die je te wachten kan staan, gezien je huidige levenswandel.
Toen ik hem vertelde wat er aan de hand was, noemde hij uit de losse hand nog twee mogelijke aanvullingen op de aantijging van verzekeringsfraude: samenzwering met Lance Wood en medeplichtigheid aan brandstichting. En dat was dan alleen nog maar wat hem zo voor de vuist weg te binnen schoot.
Ik voelde dat ik wit wegtrok. 'Ik wil het niet horen,' zei ik.
Hij haalde zijn schouders op. 'Nou ja, over die boeg zou ik het gooien als ik officier van justitie was,' zei hij nonchalant. 'Als ik over alle feiten beschikte, zou ik waarschijnlijk nog wel een paar punten aan de aanklacht kunnen toevoegen.'
'Feiten? Laat me niet lachen. Ik had Lance Wood nog nooit van mijn leven gezien.'
'Okay, maar kun je dat bewijzen?'
'Natuurlijk niet! Hoe kan ik zoiets nou bewijzen?'
Lonnie zuchtte alsof hij de gedachte aan mij in een vormeloze gevangenisjurk maar nauwelijks kon verdragen.
'Godverdomme, Lonnie, hoe komt het toch dat de wet al-

tijd de kant van de ander kiest? Ik zweer het je, het zijn altijd de rotzakken die winnen en de kleintjes die aan het kortste eind trekken. Wat moet ik in vredesnaam doen?'
Hij glimlachte. 'Zo erg is het nou ook weer niet,' zei hij. 'Mijn advies is om bij Lance Wood uit de buurt te blijven.'
'Maar hoe? Ik kan toch niet rustig gaan zitten afwachten? Ik wil weten wie me dit geflikt heeft.'
'Ik heb niet gezegd dat je de zaak niet mag onderzoeken. Je bent per slot van rekening detective. Stel gerust een onderzoek in. Maar ik zou heel voorzichtig zijn als ik jou was. Verzekeringsfraude is al erg genoeg. Zorg ervoor dat je niet ook nog eens voor iets ernstigers opdraait.'
Ik durfde hem niet te vragen wat hij bedoelde.
Ik ging naar huis en laadde de kartonnen dozen met dossiers uit. Ik trok een paar minuten uit om een aan de gewijzigde omstandigheden aangepaste boodschap op mijn antwoordapparaat in te spreken. Daarna belde ik het nummer van Jonah Robb bij de politie van Santa Teresa, afdeling Vermiste Personen. Het is niet mijn gewoonte om als dame in nood een beroep te doen op mannen. Ik ben opgegroeid met de notie dat een vrouw in deze tijd haar eigen boontjes dopt, wat ik best zou willen doen als ik maar wist waar ik moest beginnen.
Ik had Jonah een half jaar geleden ontmoet toen ik aan een zaak werkte. Onze wegen hadden zich sindsdien meer dan eens gekruist, de laatste keer in mijn bed. Hij is negenendertig, recht door zee, zorgzaam, grappig, verward, een gekweld man met blauwe ogen, zwart haar, en een vrouw genaamd Camilla die er af en toe een tijdje vandoor gaat met hun twee dochtertjes, waarvan ik de namen verdring. Ik had datgene wat er tussen ons ontstond zo lang mogelijk genegeerd, te verstandig (hield ik mezelf voor) om me in een avontuurtje met een getrouwde man te storten. En toen, op een regenachtige avond, op weg naar huis na een deprimerend gesprek met een onsympathiek individu, was ik hem tegen het lijf gelopen. Jonah en ik begonnen margarita's te drinken in een bar vlakbij het strand. We dansten op oude songs van Johnny Mathis, praatten, dansten weer, en bestelden nog meer borrels. Ergens in de buurt van 'The

Twelfth of Never' vergat ik mijn goede voornemens en nam hem mee naar huis. De tekst van dat nummer heb ik altijd al onweerstaanbaar gevonden.
Momenteel verkeerden we in dat stadium van een nieuwe relatie waarin beide partijen zich enigszins terughoudend opstellen, beducht om zich al teveel bloot te geven, snel gekwetst, verlangend de ander te leren kennen en de ander de gelegenheid te geven jou te leren kennen, zolang de echte karakterzwakheden maar verborgen blijven. Het riskante van onze verhouding maakte het extra-spannend. Ik glimlachte vaak als ik aan hem dacht en soms lachte ik hardop, maar de warmte ging vergezeld van een merkwaardige pijn. Ik ben twee keer getrouwd geweest, en heb in mijn leven meer blauwtjes gelopen dan me lief is. Ik ben niet meer zo goed van vertrouwen als vroeger, en met reden. Ondertussen verkeerde Jonah in een voortdurende toestand van ontreddering al naar gelang de schommelingen in Camilla's gemoedstoestand. Haar meest recente idee was dat ze een 'open' huwelijk wilde, wat er volgens hem wel op neer zou komen dat de seksuele vrijheden meer voor haar dan voor hem bedoeld waren.
'Afdeling Vermiste Personen. Brigadier Schiffman.'
Heel even was ik volkomen van mijn stuk gebracht. 'Rudy? Je spreekt met Kinsey. Waar is Jonah?'
'O, hallo, Kinsey. Hij is de stad uit. Is met het hele gezin gaan skiën tijdens de feestdagen. Het was een beetje onverwacht allemaal, maar ik dacht dat hij gezegd had dat hij het je nog zou laten weten. Heeft hij niet gebeld?'
'Nee,' zei ik. 'Weet je wanneer hij weer terug komt?'
'Een ogenblikje, dan kijk ik het even voor je na.' Hij legde de hoorn neer en ik luisterde naar het Norman Luboff Choir dat 'Hark, the Herald Angels Sing' ten gehore bracht. Wisten ze daar niet dat Kerstmis al voorbij was? Rudy kwam weer aan de lijn. 'Volgens mij drie januari. Wil je een boodschap achterlaten?'
'Zeg hem maar dat ik me opgeknoopt heb,' zei ik en legde de hoorn op de haak.
Ik moet bekennen dat ik in de privacy van mijn eigen huis in tranen uitbarstte en zes minuten lang uit pure frustratie bleef janken. Daarna ging ik aan het werk.

De enige invalshoek die ik kon bedenken was via Ash Wood. Ik had haar niet meer gesproken sinds onze high school-tijd, bijna veertien jaar geleden. Ik keek in het telefoonboek. Haar moeder, Helen Wood, stond er in evenals Lance, maar Ash niet. Dat betekende waarschijnlijk dat ze verhuisd of getrouwd was. Ik draaide het nummer van de familieresidentie. Een vrouw nam de telefoon aan. Ik zei wie ik was en vertelde haar dat ik probeerde Ash op te sporen. Dikwijls vertel ik leugentjes in een dergelijke situatie, maar in dit geval leek het me beter om de waarheid te zeggen.

'Kinsey, ben jij het echt? Ik ben het, Ash! Hoe is het met je?' zei ze. Alle Wood-meisjes hebben dezelfde soort stem; hees en zacht, met een enigszins Zuidelijk accent dat er in doorklinkt. De stembuiging was onmiskenbaar, niet geaffecteerd maar eerder onverschillig.

'Ik kan mijn oren niet geloven!' zei ik. 'Hoe gaat het met jou?'

'Nou, lieverd, het is hier een en al narigheid,' antwoordde ze, 'en daarom ben ik ook zo blij dat je belt. Lance zei dat hij je afgelopen vrijdag op de fabriek gesproken had. Wat is er toch allemaal aan de hand?'

'Dat had ik juist aan jou willen vragen.'

'O, hemeltje. Ik zou het heerlijk vinden om je van de laatste nieuwtjes op de hoogte te brengen. Heb je toevallig tijd om straks met me te gaan lunchen?'

'Voor jou máák ik tijd,' zei ik.

Ze stelde het Edgewater Hotel voor, om half een. Ik zou me eerst moeten omkleden. Mijn standaarduitrusting bestaat uit laarzen of sportschoenen, een nauwsluitende spijkerbroek en een mouwloos T-shirt of een coltrui, afhankelijk van het jaargetijde. Soms draag ik een jack of een denim vest, en ik draag altijd een grote leren schoudertas die soms (maar niet vaak) mijn kleine .32 bevat. Ik was er betrekkelijk zeker van dat Ash niet in dat soort kleding in het openbaar zou verschijnen.

Ik haalde mijn jurk voor alle gelegenheden, mijn panty en mijn schoenen met lage hakjes tevoorschijn. Ik zal me binnenkort toch eens een andere garderobe moeten aanschaffen.

HOOFDSTUK VIJF

Het Edgewater Hotel staat op een lap grond van zo'n tien hectare, grenzend aan de oceaan, en de gazons komen bijna tot aan het water. Je komt er via een toegangsweg die op nog geen drie meter van de branding loopt, met een zeewering die uit plaatselijke zandsteen is opgetrokken. De architectuur van het hoofdgebouw is Spaans, met massieve gepleisterde muren, booggewelven en diep verzonken ramen. Het dak is bedekt met horizontale rijen rode dakpannen. Aan de voorkant bevindt zich een door glas omsloten terras met witte parasoltafeltjes, zodat de gasten tegen de zon en de zeewind beschermd worden. De tuin rond het hotel is prachtig aangelegd met jeneverbesstruiken, palmen, hibiscus, varens en andere plantensoorten, bloemperken die het hele jaar vol bloeiende roze, paarse en gele eenjarigen staan. Het was een frisse dag, de zon ging schuil achter een ijzig wit wolkendek. De grauwgroene branding werd opgezwiept door de uitlopers van een stormdepressie die noordelijk van ons voorbij was getrokken.
De parkeerbediende was veel te discreet om, al was het maar met een blik, commentaar te leveren op de gehavende staat van mijn oude karretje. Ik betrad de foyer van het hotel en liep een brede gang door met op gezette afstanden massieve canapés en enkele verspreid staande ficussen.
Boven mijn hoofd bevond zich een balkenplafond, de wanden waren tot op schouderhoogte betegeld, de geluiden werden gedempt door een dik tapijt met een patroon van bloemen die het formaat van etensborden hadden.
Ash had een tafeltje in de grote eetzaal gereserveerd. Ze zat er al, haar gezicht verwachtingsvol mijn richting uit gekeerd toen ik naar haar toe liep. Ze was nog niet veel veranderd sinds onze high school-tijd; rossig haar, blauwe ogen in een breed, sympathiek gezicht dat bezaaid was met sproeten. Haar tanden waren spierwit en regelmatig en haar glimlach was innemend. Ik was vergeten hoe nonchalant ze zich

kleedde. Ze droeg een blauw wollen jumpsuit in een militaire snit en daar overheen een dik schapewollen vest. Ik dacht met spijt aan mijn spijkerbroek en coltrui.
Ze was nog altijd zo'n twintig pond te zwaar, en ze bewoog zich met het enthousiasme van een dartele jonge hond toen ze opsprong om me te omhelzen. Ze had altijd al iets ongecompliceerds gehad. Ondanks het feit dat ze van rijke komaf was, had ze zich nooit snobistisch of geaffecteerd gedragen. Terwijl Olive een gereserveerde indruk maakte en Ebony nogal intimiderend overkwam, scheen Ash volkomen onbevangen, het soort meisje dat iedereen graag mocht. In ons tweede jaar op school zaten we naast elkaar in de klas en we hadden vaak gezellig met elkaar zitten praten voor het begin van de lessen. We waren geen van beiden cheerleader, uitblinker qua schoolprestaties of kandidaat voor koningin van het schoolfeest. De vriendschap die tussen ons ontstond was oprecht, maar van korte duur. Ik maakte kennis met haar familie. Zij maakte kennis met mijn tante. Ik ging naar haar huis en wist het daarna heel slim zo te spelen dat zij niet bij mij thuis kwam. Ondanks het feit dat de Woods altijd hoffelijk tegen me waren, was het duidelijk dat Ash tot de sociale bovenlaag behoorde en ik tot de onderlaag. Uiteindelijk voelde ik me door die ongelijkheid zo ongemakkelijk dat ik het contact liet verwateren. Als Ash al gekwetst was door die afwijzing, dan liet ze dat in elk geval niet merken. Maar ik voelde me er evengoed schuldig over en ik was opgelucht dat ze het jaar daarna op een andere plaats zat.
'Kinsey, je ziet er fantastisch uit. Ik ben zo blij dat je gebeld hebt. Ik heb alvast een fles Chardonnay besteld. Ik hoop dat dat in orde is.'
'Prima,' zei ik glimlachend. 'Jij ziet er nog steeds hetzelfde uit.'
'Te dik, bedoel je,' zei ze lachend. 'Jij bent nog net zo mager als vroeger, alleen had ik min of meer verwacht dat je in spijkerbroek zou komen opdagen. Ik geloof niet dat ik je ooit in een jurk heb gezien.'
'Ik dacht dat ik maar eens net moest doen alsof ik klasse had,' zei ik. 'Hoe is het met je? Toen ik je naam niet in het

telefoonboek vond, dacht ik dat je waarschijnlijk verhuisd of getrouwd zou zijn.'
'Ik ben ook tien jaar weg geweest uit Santa Teresa en ik ben net weer terug. En hoe staat het met jou? Ik kan haast niet geloven dat je privé-detective bent. Ik dacht altijd dat jij nog eens in de gevangenis terecht zou komen. Je was toen immers zo vreselijk rebels.'
Ik lachte. Op de high school was ik een buitenbeentje en ik trok op met knullen die bekend stonden als de 'muurbloemen' omdat ze altijd rondhingen bij een lage muur die het schoolterrein begrensde. 'Herinner je je Donan nog, die jongen met die gouden tand die vlak voor je in de klas zat? Die is nu gynaecoloog hier in de stad. Heeft zijn gebit in orde laten maken en is medicijnen gaan studeren.'
Ash kreunde en begon toen te lachen. 'God, dat is ook een manier om meisjes onder de rokken te komen. En hoe is het met die kleine donkere knul die later naast jou zat? Grappig joch was dat. Ik vond hem wel aardig.'
'Die woont hier ook nog steeds. Is nu kaal en veel te dik. Hij heeft een slijterij op de Bluffs. Wie was die vriendin van jou ook alweer die altijd uit winkels jatte? Francesca nog iets.'
'Palmer. Die woont samen met een meubelontwerper in Santa Fe. Ik heb haar ongeveer een jaar geleden ontmoet toen ik op doorreis was in Santa Fe. Ze is nog steeds kleptomane. Ben je getrouwd?'
'Geweest.' Ik stak twee vingers op om het aantal echtgenoten aan te duiden dat gekomen en weer gegaan was.
'Kinderen?' vroeg ze.
'Goeie God, nee. Mij niet gezien. Heb jij kinderen?'
'Soms zou ik willen dat ik ze had.' Ash zat me met glanzende ogen aan te kijken en op de een of andere manier wist ik dat alles wat ik zei bij haar in goede aarde zou vallen.
'Wanneer hebben we elkaar voor het laatst gezien? Dat is alweer jaren geleden, hè?' zei ik.
Ze knikte. 'Toen Bass zijn eenentwintigste verjaardag vierde op de country club. Jij was daar met de knapste knul die ik ooit in mijn leven gezien had.'
'Daniel,' zei ik. 'Dat was echtgenoot nummer twee.'

succes van zijn plan. Toen hij zich realiseerde dat zijn onderneming zou mislukken, pikte hij wat apparatuur - niets bijzonders - maar hij probeerde het spul aan een heler te verpatsen. Die voelde nattigheid en belde de politie.'
'Dat was niet zo slim van Lance.'
'Ik denk dat vader daarom ook zo woest was.'
'Heeft hij een aanklacht ingediend?'
'Wat dacht je? Natuurlijk. Hij zei dat dat de enige manier was waarop Lance het ooit zou leren.'
'En was dat zo?'
'Nou, later is hij opnieuw in de problemen gekomen, als je dat bedoelt. Heel wat keren. Uiteindelijk gaf vader het op en deed hem op een kostschool.'
We stapten op een ander onderwerp over. Pratend over koetjes en kalfjes beëindigden we de lunch. Om twee uur keek Ash op haar horloge. 'O, hemeltje. Ik moet er vandoor. Ik heb moeder beloofd dat ik vanmiddag met haar zou gaan winkelen. Waarom ga je niet mee, als je zin hebt? Ik weet dat ze het enig zou vinden om je weer eens te zien.' Ze wenkte om de rekening.
'Ik moet nu eerst wat andere zaken afhandelen, maar ik wil wel graag een keer met haar praten.'
'Bel me maar en dan kom je gezellig bij ons langs.'
'Woon je daar nu?'
'Tijdelijk. Ik heb een eigen appartement gekocht en dat wordt momenteel opgeknapt. Ik blijf nog een week of zes bij moeder logeren.'
Toen de rekening gebracht werd, stak ik mijn hand uit naar mijn tasje, maar ze maakte een afwerend gebaar. 'Laat maar. Ik declareer het wel als zakenlunch. Dat is het minste wat ik kan doen, nu je in zo'n rotsituatie terecht bent gekomen.'
'Bedankt,' zei ik. Ik kreeg Ebony's telefoonnummer van haar en we liepen samen naar buiten. Ik voelde me opgelucht toen de parkeerbediende haar auto het eerst voorreed. Ik keek haar na terwijl ze wegreed in haar kleine rode Alfa Romeo. Even later werd mijn wagen voorgereden. Ik gaf de bediende een overdreven ruime fooi en stapte voorzichtig in om mijn panty niet achter de knie op te halen. De bediende

gooide het portier dicht en ik draaide het contactsleuteltje om. Het was haast niet te geloven, maar de motor sloeg in één keer aan en ik voelde een opwelling van trots. Het vehikel is afbetaald en kost me maar tien dollar per week aan benzine.
Ik reed naar huis en parkeerde binnen het hek, vastbesloten om me niet uit het veld te laten slaan door de leegte die me aangrijnsde. Het wintergras zag er onverzorgd uit en de zinnia's en goudsbloemen raakten langzamerhand uitgebloeid. In Henry's huis was alles stil en de achterdeur zag er niet uitnodigend uit. Meestal hangt de geur van gist of kaneel in de lucht als een zwaar parfum. Henry is een gepensioneerde bakker die zijn passie voor het kneden van deeg en het bakken van brood nog niet helemaal op kan geven. Als hij niet in de keuken is, kan ik hem meestal op het terras vinden waar hij de bloembedden aan het wieden is of languit op een ligstoel cryptogrammen ligt te bedenken die vol zitten met vergezochte woordspelingen.
Ik ging mijn appartement binnen en trok met een zucht van opluchting mijn spijkerbroek weer aan. Ik haalde de grasmaaimachine uit de schuur en ging de tuin te lijf, en daarna knipte ik alle uitgebloeide bloemen uit de perken. Dit was buitengewoon saai werk. Ik zette de grasmaaimachine weer in de schuur. Ik ging naar binnen en tikte mijn aantekeningen uit. Zolang ik toch voor mezelf werkte, kon ik het maar beter goed doen. Ook dit was vervelend werk.
Aangezien Rosie gesloten was, at ik thuis. Ik maakte een sandwich met kaas en piccalilly klaar, ook al zo'n vreselijk interessante bezigheid.
Ik had de Len Deighton inmiddels uit en verder had ik niets te lezen in huis, dus zette ik mijn draagbare televisietoestelletje aan.
Soms vraag ik me af of ik niet wat weinig liefhebberijen heb.

HOOFDSTUK ZES

Op dinsdagochtend ging ik om zes uur 's morgens naar de sportschool. Aangezien ik geen kantoor meer had waar ik naartoe moest, had ik net zo goed later op de ochtend kunnen gaan, maar ik kom graag rond dat tijdstip. Dan is het nog rustig en half leeg, dus er is geen gedrang rond de apparaten. De halters liggen allemaal op zwaarte gesorteerd op hun plaats. De spiegels zijn schoon en het ruikt er niet naar zweetsokken van gisteren. Gewichthefapparaten vormen een merkwaardig verschijnsel - ze zijn bedacht om de vermoeiende handenarbeid te vervangen waar de Industriële Revolutie ons van verlost heeft. Gewichtheffen is net een soort meditatie: perioden van geconcentreerde activiteit afgewisseld met rustpauzes. Het is een goede gelegenheid om na te denken, omdat je verder toch niet veel anders kunt doen. Ik begon met buikspieroefeningen: eerst vijfendertig, toen dertig, toen vijfentwintig. Ik stelde de zitting op een van de Nautilusapparaten in en begon zitdrukoefeningen te doen, drie series van tien, met twee schijven. De mannen werken met tien tot twintig schijven, maar ik werk net zo hard, en ik ben me niet echt aan het voorbereiden op het gewestelijk kampioenschap body-building.
Ik liet mijn gedachten gaan over de details van het komplot...een knap stukje werk, afhankelijk van een aantal gebeurtenissen die als radertjes in elkaar hadden gegrepen. Het telefoontje naar Mac moest van Ava Daugherty afkomstig zijn geweest, maar wie had haar daartoe aangezet? Ze had het vast niet allemaal zelf bedacht. Iemand had met het Wood/Warren-dossier gerommeld, en hoewel het mogelijk bleef dat iemand de sleutels van mijn kantoor uit mijn handtas had gehaald, wie bij Wood/Warren was goed genoeg op de hoogte om een vervalsing van een brandweerrapport te kunnen maken? Dat moest gedaan zijn door iemand die op de hoogte was van de procedure bij CF. Verzekeringsonderzoeken volgen meestal een vast patroon. Een buitenstaander kon er gewoonweg niet zeker van zijn dat de

verwisseling van de paperassen in de noodzakelijke volgorde zou geschieden. Darcy zou het gekund hebben. Andy misschien ook, of zelfs Mac. Maar waarom?
Ik deed mijn biceps- en tricepsoefeningen. Aangezien ik zes dagen per week ga joggen, werk ik in de sportschool voornamelijk aan de drie B's - biceps, buik en billen - een vaste procedure die me drie maal per week drie kwartier kost. Tegen kwart over zeven was ik klaar. Ik ging naar huis om te douchen en daarna ging ik weer op pad, gekleed in spijkerbroek, coltrui en laarzen. Darcy begon om negen uur, maar meestal ontbeet ze eerst met koffie en een croissant in de cafetaria aan de overkant van de straat. Ondertussen roddelde ze wat, las de krant en deed haar nagels.
Ze was er nog niet toen ik om acht uur de cafetaria binnen kwam. Ik kocht een krant en ging aan het achterste tafeltje zitten, waar zij ook meestal zat. Claudine kwam naar me toe en ik bestelde een ontbijt. Om twaalf minuten over acht kwam Darcy binnen, gekleed in een lichtgewicht wollen mantel. Ze bleef staan toen ze me zag, aarzelde even en ging toen aan een leeg tafeltje halverwege de zaak zitten. Ik pakte mijn koffiekopje op en schoof naast haar aan, genietend van de zure blik die over haar gezicht trok toen ze besefte wat ik van plan was.
'Vind je het goed als ik erbij kom zitten?' vroeg ik.
'Nou, eigenlijk zou ik liever in mijn eentje ontbijten,' zei ze, mijn blik vermijdend.
Claudine kwam naar ons tafeltje met een dampend bord bacon en roereieren dat ze voor me neerzette. Claudine is in de vijftig, met een dreunende stem en dikke spataderen op haar kuiten.
'Morgen, Darcy. Wat zal het zijn vandaag. Het gebruikelijke recept maar weer?'
'Prima. En een klein glas jus d'orange.'
Claudine noteerde de bestelling en stopte haar blocnote in de zak van haar schort. 'Ik haal even een koffiekopje voor je.' Ze was verdwenen voordat Darcy kon protesteren. Ze keek snel om zich heen, op zoek naar een lege plaats. De zaak begon snel vol te lopen en het zag er naar uit dat ze aan me vast zat.
Terwijl ik at, nam ik haar op op een manier die haar naar

ik hoopte van haar stuk zou brengen. Ze trok haar jas uit en vouwde hem zorgvuldig op. Ze is zo'n vrouw waar een luxe damesblad de eigen specialisten bij wijze van uitdaging op los zou moeten laten voor een reportage 'Vóór en na de behandeling.' Ze heeft ragfijn haar dat zich niet in model laat brengen, een hoog, uitstulpend voorhoofd, lichtblauwe ogen. Haar huid is van een transparant melkwit waar de aderen doorheen schijnen als een netwerk van verschoten wasserijmerkjes. Ik had gehoord dat Darcy's vriend postbode was, en dat hij daarnaast drugs dealde. Ik vroeg me af of hij de post en de drugs op een en dezelfde ronde bezorgde. Het was duidelijk dat ik haar dag verziekte, en dat had een gunstige uitwerking op mijn eetlust.
'Ik neem aan dat je gehoord hebt over de moeilijkheden waarin ik verzeild ben geraakt?'
'Hoe kan het anders?' zei ze.
Ik maakte een plastic kuipje jam open en smeerde de helft van de inhoud op een driehoekig stuk volkorentoast. 'Enig idee wie me dat geflikt heeft?'
Claudine kwam terug met een kop en schotel en de koffiepot. Darcy onthield zich van commentaar totdat haar koffie ingeschonken was. Toen Claudine weer vertrok, nam Darcy's gezicht een preutse uitdrukking aan en ze kreeg een kleur. Om eerlijk te zijn deed die verandering haar geen kwaad. Ze heeft een sterke voorkeur voor pasteltinten, ik denk omdat ze het idee heeft dat fletse kleuren haar op de een of andere manier beter staan dan felle. Ze droeg een lichtgele trui, ongeveer de kleur van bepaalde urinestalen die ik wel eens gezien heb waarvan de prognose niet al te best was. De blos op haar wangen gaf haar een gezond voorkomen.
Ze boog zich voorover. 'Ik heb je niets gedaan,' zei ze.
'Mooi. Dan kun je me misschien helpen.'
'Mac heeft ons uitdrukkelijk gezegd dat we niet met je mochten praten.'
'Waarom niet?'
'Nou, dat lijkt me nogal duidelijk. Hij wil niet dat jij informatie krijgt die je niet hoort te krijgen.'
'Zoals?'
'Daar ga ik niet met je over discussiëren.'

'Weet je wat, ik zal je mijn theorie verklappen,' zei ik op gezellige toon. Ik verwachtte half en half dat ze haar vingers in haar oren zou stoppen en hardop zou gaan zingen om me maar niet te hoeven horen, maar ik kon zien dat het haar niet helemaal onverschillig liet en daar putte ik moed uit. 'Ik vermoed dat Andy erachter zit. Ik weet nog niet waarom, maar waarschijnlijk wordt hij er financieel beter van. Misschien dat iemand hem opdrachten toeschuift, of hem smeergeld betaalt. Natuurlijk is het ook bij me opgekomen dat jij het zou kunnen zijn, maar op dit moment geloof ik dat niet echt. Ik denk dat als jij erachter zat, je nu vriendelijk tegen me zou zijn, al was het alleen maar om mij ervan te overtuigen dat je het beste met me voor hebt.'
Darcy maakte een suikerzakje open, mat zorgvuldig een half lepeltje af en roerde dat door haar koffie. Ik praatte gewoon hardop verder, alsof ze een goede vriendin van me was die me graag wilde helpen.
'CF werkt wel meer met free lance-onderzoekers, dus ik neem aan dat ieder van ons erbij betrokken had kunnen raken. Het was gewoon stomme pech dat het mij toevallig overkwam. Niet dat Andy daar niet een zeker genoegen in zou scheppen. Hij heeft me nooit gemogen en hij heeft er altijd de pest over in gehad dat Mac mij die kantoorruimte gegeven heeft. Andy wilde de muur uitbreken en die ruimte bij zijn eigen kantoor trekken. In elk geval moet ik ervan uitgaan dat Lance Wood het eigenlijke slachtoffer van het komplot is, hoewel ik nog niet weet waarom. Ik denk dat ik maar eens uit ga zoeken waar alle paden elkaar kruisen. Lijkt me leuk. Ik heb nog nooit mezelf als cliënt gehad en daar verheug ik me echt op. Scheelt een hoop papierwerk.'
Ik hield haar reactie nauwlettend in de gaten. Haar lichtblauwe ogen namen me scherp op en ik kon zien dat haar hersens overuren maakten.
'Kom op, Darcy. Help me een handje,' fleemde ik. 'Wat heb je te verliezen?' 'Je mag me niet eens.'
'Jij mag mij ook niet. Wat heeft dat er nou mee te maken? We hebben allebei de pest aan Andy. *Daar* gaat het om. Die vent is een klootzak.'
'Dat is-ie zeker,' zei ze.
'Je denkt toch niet dat Mac er iets mee te maken heeft, hè?'

'Nou, nee.'
'Dus wie zou het anders kunnen zijn?'
Ze schraapte haar keel. 'Andy heeft de laatste tijd nogal vaak bij mijn bureau rondgehangen.'
Haar stem klonk zo zacht dat ik me voorover moest buigen. 'Ga door.'
'Het is begonnen op de dag dat Jewel met vakantie ging en Mac hem opdracht gaf om haar werk uit te besteden. Andy was degene die jou voordroeg voor de Wood/Warren-schadeclaim.'
'Hij dacht waarschijnlijk dat het gemakkelijker zou zijn om mij onder druk te zetten.'
Claudine bracht Darcy's jus d'orange en de croissant. Darcy brak de croissant in kleine stukjes en besmeerde elk stukje zorgvuldig met boter voordat ze het in haar mond stopte. Jezus, misschien moest ik er ook maar een nemen.
Ze begon nu pas goed op dreef te raken over het onderwerp Andy Motycka, die haar blijkbaar al net zo min mocht als mij. 'Wat me irriteert,' zei ze, 'is dat ik moeilijkheden met Mac gekregen heb omdat Andy heeft gezegd dat het dossier drie dagen op mijn bureau gelegen had voordat jij het kreeg. Dat is een regelrechte leugen. Andy heeft het mee naar huis genomen. Ik heb gezien dat hij het dinsdag, toen het rapport van de brandweer binnenkwam, in zijn aktentas stopte.'
'Heb je dat tegen Mac gezegd?'
'Ach, nee. Wat zou ik me druk maken? Het zou alleen maar lijken of ik mezelf schoon wilde praten door alle schuld op hem af te schuiven.'
'Daar heb je gelijk in. Ik zat zo'n beetje in dezelfde positie,' zei ik. 'Zeg, als Andy het brandweerrapport vervalst heeft, dan heeft hij dat waarschijnlijk thuis gedaan, denk je ook niet?'
'Waarschijnlijk wel.'
'Dus misschien dat daar wel bewijzen te vinden zijn. Ik zal wel eens bij hem thuis rondsnuffelen, en dan doe jij hetzelfde in zijn kantoor.'
'Hij is verhuisd, weet je. Hij woont niet meer op zijn oude adres. Hij en Janice zijn uit elkaar.' 'Gaat-ie scheiden?'
'Ja. Ze zijn er al maanden mee bezig. En ze kleedt hem behoorlijk uit.'

'Werkelijk? Zo, dat is interessant. Waar woont hij nu?'
'In een van die appartementen bij Sand Castle.'
Ik had het complex wel eens gezien: honderdzestig eenheden tegenover een openbaar golfterrein met de naam Sand Castle, voorbij Colgate in het plaatsje Elton. 'Hoe zit het met zijn kantoor? Kun je daar eens een kijkje nemen?'
Voor het eerst glimlachte Darcy. 'Ja hoor, dat doe ik wel. Net goed voor hem.'
Ik noteerde haar telefoonnummer en zei dat ik haar nog wel zou bellen. Ik betaalde voor ons allebei en vertrok, want het leek me geen goed idee om in Darcy's gezelschap gezien te worden. Nu ik toch eenmaal in het centrum was, liep ik naar het kredietbureau en maakte een praatje met een vriendin van me die daar als datatypiste werkt. Ik had jaren geleden eens een klusje voor haar opgeknapt. Ik had toen een onderzoek ingesteld naar de achtergrond van een enigszins verlopen heerschap dat gehoopt had de last van een niet onaanzienlijke spaarrekening van haar schouders te kunnen nemen. Ze had het geld al in haar hand gehad om me te betalen, maar ik had het gevoel dat we allebei baat zouden kunnen hebben bij een ruilhandeltje – 'dienst en wederdienst', noemen ze dat. Nu stel ik een onderzoek in naar elke nieuwe man in haar leven en in ruil daarvoor speelt zij me af en toe een kopie in handen van een computeruitdraai met gegevens die ik goed kan gebruiken. Een nadeel is dat ik moet wachten op de periodieke bijwerking van het gegevensbestand, wat meestal eens per week gebeurt. Ik vroeg haar om alle gegevens met betrekking tot Lance Wood en ze beloofde me dat ze de volgende dag iets voor me zou hebben. In een opwelling vroeg ik haar om, als ze toch bezig was, na te gaan wat ze aan gegevens over Andy Motycka kon vinden. Voor financiële informatie over Wood/Warren was mijn beste bron California Fidelity zelf, want Lance Wood had ongetwijfeld talloze formulieren ingevuld toen hij zijn bedrijf bij de maatschappij verzekerde. Ik hoopte dat ik daarvoor weer een beroep kon doen op Darcy. Het was verbazingwekkend hoeveel sympathieker ze me voorkwam nu ze aan mijn kant stond. Ik liep op een drafje terug naar mijn auto.
Terwijl ik het parkeerterrein aan de achterkant van het gebouw afreed, kwam Andy juist aanrijden. Hij wachtte voor

de parkeerautomaat totdat de gestempelde parkeerkaart uit de gleuf te voorschijn kwam. Hij deed net of hij me niet zag.
Ik reed terug naar huis. Ik had nooit erg veel belang gehecht aan het feit dat ik over een kantoor kon beschikken. Ik handel misschien veertig procent van al mijn werk af vanuit mijn draaistoel, de hoorn van de telefoon tussen wang en schouder geklemd, dossiers bij de hand. Voor de overige zestig procent ben ik meestal op pad, maar ik voel me niet graag afgesneden van mijn informatiebronnen. Dat brengt me in een enigszins nadelige positie.
Het was pas vijf over tien en een eindeloze dag doemde voor me op. Uit gewoonte haalde ik mijn kleine draagbare Smith-Corona te voorschijn en begon mijn aantekeningen uit te tikken. Toen ik daarmee klaar was, werkte ik mijn kaartsysteem bij, schreef een paar rekeningen uit, en ruimde mijn bureau op. Ik heb een hekel aan nietsdoen. Vooral als ik me voor hetzelfde geld moeilijkheden op de hals zou kunnen halen. Ik belde Darcy bij CF en kreeg van haar Andy's nieuwe adres en telefoonnummer. Ze zei dat ze op dat moment in Andy's kantoor zat.
Ik belde zijn appartement en kreeg tot mijn opluchting zijn antwoordapparaat aan de lijn. Ik kleedde me om in een blauwgrijze broek met een lichte streep langs de naad en een bijpassend lichtblauw shirt met de tekst Southern California Services op een mouwembleem. Ik trok een paar onflatteuze zwarte schoenen aan die ik overgehouden had van mijn tijd bij de verkeerspolitie van Santa Teresa, hing een gewichtig uitziende sleutelring met een lange ketting aan mijn riem en pakte een klembord, mijn setje haaksleutels en mijn serie lopers. Ik bekeek mezelf in de spiegel. Ik zag eruit als een ambtenaar in uniform die op het punt stond om een routinecontrole uit te voeren al wist ik niet precies wat er te controleren viel. Ik zag eruit alsof ik meterstanden kon opnemen en belangrijke aantekeningen kon maken. Ik zag eruit als iemand die leidingen kon controleren en via de mobilofoon in mijn dienstwagen reparatieploegen kon oproepen. Ik stapte in mijn auto en ging op weg naar Andy's appartement voor wat lichte inbraakwerkzaamheden.

HOOFDSTUK ZEVEN

The Copse at Hurstbourne is een van die fantasienamen voor de gloednieuwe serie appartementencomplexen aan de rand van de stad. 'Copse' als in 'kreupelbosje'. 'Hurst' als in 'heuveltje'. En 'bourne' als in 'beek of stroompje'. Al deze geologische en botanische bezienswaardigheden schenen zich te bevinden binnen de twintig percelen die het project telde, maar het was niet duidelijk waarom het niet gewoon Shady Acres genoemd had kunnen worden. Blijkbaar is men niet bereid om honderdvijftigduizend dollar neer te tellen voor een huis dat niet klinkt alsof het deel uitmaakt van een Angelsaksisch landgoed. Deze dikwijls zeer functionele behuizingen worden nooit genoemd naar joden of Mexicanen. Als je snel failliet wilt gaan moet je maar eens proberen om Rancho Feinstein aan de man te brengen. Of het Paco Sanchez Park. De gegoede Amerikaanse middenstand vindt, absurd genoeg, dat ze zich moet spiegelen aan de Britse betere standen. Ik was onderweg al Essex Hill, Stratford Heights en Hampton Ridge gepasseerd.
The Copse at Hurstbourne was omringd door een hoge muur van natuursteen, met een elektronisch bediende poort die bedoeld was om het gepeupel buiten te houden. De namen van de bewoners stonden vermeld op een bord naast een telefoontoestel met drukknoppen en een intercom. Elke bewoner had een persoonlijke toegangscode gekregen die je moest weten om binnen te komen. Dat weet ik omdat ik op goed geluk verscheidene combinaties probeerde, zonder resultaat. Ik zette de auto aan de kant en wachtte tot er een andere auto naar de poort reed. De chauffeur toetste zijn code in. Toen de poort openzwaaide, reed ik achter hem aan naar binnen. Er begon geen alarm te rinkelen. Ik werd niet belaagd door woeste waakhonden. Veiligheidsmaatregelen bestonden, evenals de gesuggereerde aristocratische achtergrond van het project, grotendeels in de geest van het verkoopteam.

Er waren een stuk of twintig gebouwen van acht eenheden elk. Grijs met wit afgewerkt in Cape Cod-stijl, veel hoeken, ramen met middenstijlen, en houten balkons. Platanen en eucalyptusbomen luisterden het terrein op. Er splitsten zich twee kronkelende wegen af in verschillende richtingen, maar het was duidelijk dat ze allebei weer samenkwamen op dezelfde parkeergelegenheid aan de achterkant van het terrein waar zich een rij carports bevond. Ik vond een parkeerplaats voor bezoekers en zette mijn wagen daar neer, waarna ik het informatiebord van het project bekeek, waar ook een plattegrond van de appartementen op stond.
Dat van Andy Motycka was nummer 364 en bevond zich gelukkig aan de achterkant van het project. Ik pakte mijn klembord en een zaklantaarn en probeerde er zo autoritair mogelijk uit te zien. Ik liep voorbij de recreatieruimte, het zwembad, de wasruimtes, de sportzaal en het verkoopkantoor. Er was niets dat op de aanwezigheid van kinderen wees. Te oordelen naar het aantal lege carports waren veel bewoners naar hun werk. Prachtig. Een stel linke jongens zou het hele zaakje waarschijnlijk in een halve dag leeg kunnen halen.
Ik liep om een stel in Cape Cod-stijl ontworpen vuilnisbakken heen en beklom een buitentrap naar de eerste verdieping van gebouw nummer 18. De overloop van het appartement naast dat van Andy werd opgevrolijkt door een manshoge ficus en diverse andere potplanten. Andy's portaaltje was kaal. Zelfs geen deurmat. De gordijnen waren open en er brandde binnen geen licht. Geen geluid van een TV-toestel, een stereo-installatie of een WC die doorgetrokken werd. Ik belde aan. Ik deed een stapje achteruit om te zien of er bij de naaste buren tekenen van leven te zien waren. Niets. Het leek erop of ik het gebouw voor mezelf alleen had.
Het slot op de voordeur was een Weiss. Ik pakte mijn haaksleutels en probeerde er een paar, zonder resultaat. Het openpeuteren van een slot is een tijdrovend karwei en ik kon daar geen uren blijven staan. Er zou iemand langs kunnen komen die zich afvroeg waarom ik zacht vloekend met dat stuk ijzerdraad in het sleutelgat stond te peuteren. In

een opwelling stak ik mijn arm omhoog en voelde langs de bovenkant van de deurstijl. Andy had zijn sleutel voor me klaargelegd. Ik liet mezelf binnen.
Ik vind het heerlijk om op plaatsen te zijn waar ik niet geacht word te zijn. Ik kan begrip opbrengen voor geveltoeristen en inbrekers die, naar ik wel eens gehoord heb, door de verhoogde toevloed van adrenaline een bijna seksuele kick krijgen. Mijn hart bonsde en ik voelde me buitengewoon alert.
Ik liep snel door het appartement heen en keek in de twee slaapkamers, de gangkasten, de badkamer en de WC om er zeker van te zijn dat er niemand was. In de grote slaapkamer deed ik de glazen schuifpui open. Ik stapte het balkon op dat de twee slaapkamers verbond en plande een vluchtroute voor het geval Andy onverwacht thuis zou komen. Tegen de zijmuur, rechts om de hoek, bevond zich een decoratief latwerk met aan de basis een pas geplante bougainvillea. Als de nood aan de vrouw kwam, kon ik daarlangs als een orang-oetang naar beneden klauteren en me uit de voeten maken.
Ik ging weer naar binnen en begon mijn huiszoeking. De vloer van Andy's slaapkamer lag bezaaid met vuile kleren waardoorheen een smal paadje was vrijgehouden. Ik schuifelde langs sokken, overhemden en met vulgaire patronen bedrukte boksershorts. In plaats van in een ladenkast bewaarde hij zijn schone kleren in vier donkerblauwe plastic stapelkratten. Zijn pas verworven vrijgezellenstaat had hem blijkbaar terug gevoerd naar zijn studententijd. Geen van de prullenbakken bevatte iets interessants. Ik besteedde een kwartier aan het doorzoeken van alle zakken van zijn kostuums die in een van de kasten hingen, maar het enige dat ik vond waren draadjes textiel, een gebruikte zakdoek en een bonnetje van de stomerij. De tweede slaapkamer was kleiner. Andy's fiets stond tegen een van de muren. De achterband was lek. Verder stonden er een roeibank en acht kartonnen verhuisdozen, zonder etiket en dichtgeplakt met tape. Ik vroeg me af hoe lang hij en zijn vrouw al uit elkaar waren.
Ik had Janice, Andy's vrouw, een paar keer ontmoet op

feestjes van California Fidelity en ik had niet bepaald een hoge dunk van haar gehad totdat ik zag wat ze voor hem over had gelaten. De dame had hem echt tot op het hemd uitgekleed. Andy had zich altijd beklaagd over haar spilzucht, er wel voor zorgend dat iedereen wist dat ze haar inkopen deed in de duurste winkels van de stad. Het feit dat ze onbeperkt op rekening kon kopen was uiteraard een maatstaf voor zijn succes. Wat nu wel duidelijk werd, was dat ze het spel keihard speelde. Andy was afgescheept met een kaarttafeltje, vier aluminium tuinstoelen, een matras en wat bestek met wat waarschijnlijk het monogram van zijn moeder was. Het zag er naar uit dat Janice het jarenlang in de vaatwasmachine had gestopt, want de glans was vrijwel verdwenen en het zilverpleet was grotendeels weggesleten.
De keukenkastjes bevatten plastic borden en kopjes en een armzalig assortiment blikvoedsel. Die knul at nog slechter dan ik. Aangezien de appartementen gloednieuw waren, waren ze voorzien van de modernste huishoudelijke apparatuur: zelfreinigende oven, grote koelkast (leeg, afgezien van twee zespakken bier van een obscuur merk), vaatwasmachine, magnetronoven, afvalverwerker. De vrieskast lag vol dozen Lean Cuisine. Hij had een voorkeur voor Spaghetti en Kip Cacciatore. Er lag ook een fles aquavit in en een doos keihard bevroren Milky Ways die een uitnodiging vormden om je tanden op te breken.
De eetkamer was een soort uitbouw van de kleine woonkamer, gescheiden van de keuken door een witgeschilderde klapdeur. Er stond maar heel weinig meubilair. Het kaarttafeltje scheen dienst te doen als eettafel en bureau. Daar stond ook de telefoon, aangesloten op het antwoordapparaat. Het tafelblad lag bezaaid met typebenodigdheden, maar er was nergens een typemachine te bekennen. Zijn flesje type-out was net zo stroperig als oude nagellak. De prullenmand was leeg.
Ik liep de keuken weer in en deed de vuilnisbak open. Behoedzaam wroette ik rond in de inhoud, totdat ik ergens onderin verfrommelde vellen papier voelde. Ik haalde de zak eruit en stopte er een nieuwe in. Ik betwijfelde of Andy zich zou herinneren of hij zijn vuilnisbak geleegd had of

niet. Waarschijnlijk was hij het grootste gedeelte van zijn huwelijksleven op zijn wenken bediend en ik had het idee dat hij als vanzelfsprekend aannam dat huishoudelijke karweitjes gedaan werden, alsof de elfjes en de kaboutertjes 's nachts te voorschijn kwamen om de rand van de toiletpot schoon te maken als hij er weer eens overheen geplast had. Ik keek op mijn horloge. Ik was al vijfendertig minuten binnen en ik wilde mijn geluk niet al te zeer op de proef stellen.

Ik deed de glazen schuifpui weer dicht, liep nog een keer het hele appartement door om te kijken of ik niets over het hoofd had gezien, pakte de vuilniszak op en verliet het appartement via de voordeur.

Tegen twaalf uur 's middags was ik weer thuis. Ik zat op Henry's terras met Andy's vuilnis om me heen verspreid als een soort zwerverspicknick. Feitelijk was het afval tamelijk onschuldig en ik had niet het idee dat ik een tetanusinjectie nodig zou hebben nadat ik de troep doorzocht had. Blijkbaar was hij dol op ingelegd zuur, olijven, ansjovis, jalapeño-pepers en andere voedingsmiddelen waarin geen bacteriën kunnen leven. Geen koffiedik, geen sinaasappelschillen.

Niets dat erop wees dat hij ooit verse groenten at. Heel veel bierblikjes. Zes plastic zakjes Lean Cuisine, een hoop reclamefolders, zes aanmaningen, een uitnodiging voor een barbecue van een plaatselijke zakenman, een strooibiljet van een autowasserette, en een brief van Janice die hem woedend moest hebben gemaakt, want hij had hem tot een prop verfrommeld en er op gebeten. Ik kon duidelijk de afdruk van zijn tanden in het papier zien. Ze zeurde over een cheque voor tijdelijke alimentatie die *alweer* te laat was, schreef ze, tweemaal onderstreept en van de nodige uitroeptekens voorzien.

Onderin de zak zat de souche van een chequeboekje met de controlestrookjes er nog aan, compleet met de naam van Andy's bank en zijn rekeningnummer. Dat bewaarde ik om er later nog eens rustig naar te kijken. Ik had de verfrommelde velletjes papier die ik onderin de vuilniszak gevonden had, opzij gelegd. Ik streek ze nu glad – zes versies van een brief aan iemand die hij afwisselend met 'engeltje', 'liefste',

'licht van mijn leven', 'mijn allerliefste' en 'lieveling' aansprak. Hij scheen zich haar anatomie tot in de tederste details te herinneren, zonder al te veel aandacht voor haar intellectuele capaciteiten. Haar seksuele vaardigheden hadden hem blijkbaar zodanig in vuur en vlam gezet dat zijn typevaardigheid erdoor aangetast was - veel doorhalingen in de regels waar hij herinneringen ophaalde aan hun 'samenzijn', dat naar ik begreep op of omstreeks Kerstmis had plaatsgevonden. Bij het in herinnering roepen van die ervaring scheen hij te kampen te hebben met een gebrek aan bijvoeglijke naamwoorden, maar de werkwoorden lieten niets aan de verbeelding over.
'Nou, nou, Andy, ouwe schuinsmarcheerder die je bent,' mompelde ik in mezelf.
Hij zei dat hij het heerlijk vond als zij het puntje puntje uit zijn XXXXXXXXX (doorgehaald) zoog. Ik nam aan dat het over bloemetjes en bijtjes ging en dat zijn botanische kennis hem in de steek gelaten had. Of anders had de gedachte eraan alleen al een aanval van emotionele dyslexie teweeggebracht. Hij kon ook niet goed besluiten welke toon hij zou aanslaan. Hij weifelde ergens tussen kruiperigheid en adoratie. Hij maakte verscheidene toespelingen op haar borsten waardoor ik me afvroeg of ze misschien baat zou hebben bij een chirurgische borstverkleining. Het was genante lectuur, maar ik probeerde me niet aan mijn verantwoordelijkheden te onttrekken.
Toen ik klaar was, maakte ik een net pakje van alle papieren. Ik zou ze in een aparte map opbergen totdat ik kon beslissen of ik er misschien iets aan zou hebben. Ik veegde de vuilnis weer in de zak en gooide die in Henry's container. Ik ging mijn appartement binnen en luisterde mijn antwoordapparaat af. Er stond één boodschap op.
'Hallo, Kinsey. Met Ash. Hoor eens, ik heb gisteren met moeder gepraat over die kwestie met Lance en ze zou graag met je willen praten. Bel me even als je thuiskomt, dan maken we een afspraak. Misschien in de loop van de middag, als dat je schikt. Tot gauw. Dag!'
Ik belde naar het huis van de Woods, maar het nummer was in gesprek. Ik trok mijn spijkerbroek weer aan en

maakte iets te eten klaar.
Tegen de tijd dat ik Ash aan de telefoon kreeg, lag haar moeder te rusten en kon niet gestoord worden, maar ik werd uitgenodigd op de thee om vier uur.
Ik besloot om naar de schietclub te rijden en wat te oefenen met de kleine .32 die in een oude sok gewikkeld achter slot en grendel in mijn bovenste bureaula ligt. Ik stopte het pistool, de patroonhouder en een doos met vijftig patronen in een kleine canvastas en legde die in de kofferbak van mijn auto. Ik stopte onderweg om te tanken en nam toen de 101 in noordelijke richting tot aan de kruising met de 154 en volgde van daar af de steile weg die tegen de berghelling op zigzagde. Het was een kille dag. We hadden al verscheidene dagen met onverwachte regen gehad en de vegetatie was donkergroen, in de verte langzaam overgaand in een diep marineblauw. De wolken aan de hemel waren katoenachtig wit met rafelige randen, als de gescheurde bekleding aan de onderkant van een oude matras. Naarmate de weg steeg, begon het mistiger te worden en het weinige verkeer paste zijn snelheid aan het steeds slechter wordende zicht aan. Ik moest twee keer terugschakelen en zette de verwarming aan. Op de top sloeg ik linksaf een secundaire weg in die nauwelijks breed genoeg was voor twee auto's en zich ongeveer een kilometer ver de rimboe in slingerde. Massieve rolstenen, begroeid met donkergroen mos, omzoomden de weg, waar de overhangende bomen het zonlicht tegenhielden. De stammen van de eiken waren bedekt met sponsachtige uitwassen die de kleur hadden van groen uitgeslagen koper. Ik kon heide ruiken en laurierbomen en de zwakke geur van een houtvuur, afkomstig van de blokhutten die hier en daar tegen de helling aan waren gebouwd. Op plaatsen waar de berm wegviel, waren de diepe bergkloven onzichtbaar door de mist. Het brede hek naar de schietclub stond wijdopen en ik reed de laatste paar honderd meter naar het met grind bedekte parkeerterrein dat leeg was op één enkele stationcar na. Afgezien van de beheerder, was ik de enige bezoeker.
Ik betaalde mijn vier dollar en volgde hem naar het uit sintelblokken opgetrokken gebouwtje waar zich de toiletten bevonden. Hij maakte het hangslot van de bergruimte open en haalde een schietschijf op een houten geraamte te voor-

schijn.
'Je kunt nauwelijks wat zien met die mist,' waarschuwde hij.
'Ik waag het er maar op,' zei ik.
Hij keek me met een bezorgde blik aan, maar gaf me uiteindelijk toch de schietschijf, een nietapparaat en twee extra-schijven.
Ik was al in geen maanden meer op de schietbaan geweest, en ik vond het prettig dat ik de enige was. Het was harder gaan waaien en mistflarden dreven over betonnen bunkers als in een griezelfilm. Ik plaatste de schietschijf op een afstand van vijfentwintig meter. Ik deed plastic oordopjes in en zette daar overheen oorbeschermers op. Alle buitengeluiden werden gedempt tot een zacht geruis en ik kon mijn eigen ademhaling in mijn hoofd horen, net alsof ik aan het zwemmen was. Ik laadde acht patronen in het magazijn van mijn .32 en begon te vuren. Elk schot klonk alsof er ergens vlakbij een ballon knalde, gevolgd door de karakteristieke kruitgeur die ik zo lekker vind ruiken.
Ik liep naar de schietschijf om te kijken hoe ik geschoten had. Te hoog en te veel naar links. Ik omcirkelde de eerste acht gaatjes met viltstift, liep terug naar het begin van de baan en laadde opnieuw. Vlak achter me stond een bord met de tekst: 'Vuurwapens zoals wij die hier gebruiken zijn een bron van plezier en ontspanning, maar één moment van onachtzaamheid of domheid kan aan dat alles voorgoed een eind maken.' Amen, dacht ik bij mezelf.
De aangestampte grond vlak voor me lag net zo bezaaid met lege hulzen als een slagveld. Ik raapte mijn lege hulzen na iedere ronde weer op en stopte ze netjes terug in het styrofoam doosje waar de scherpe patronen in zaten.
Tegen kwart over drie had ik het koud en had ik het grootste deel van mijn munitie verschoten. Ik kan niet beweren dat ik met mijn kleine halfautomatische pistool op een afstand van vijfentwintig meter honderd procent trefzeker ben, maar in elk geval had ik het gevoel dat ik de slag weer een beetje te pakken had.

HOOFDSTUK ACHT

Om vijf voor vier reed ik de cirkelvormige oprijlaan op naar het huis van de Woods, dat zich bevond op een hooggelegen stuk grond van drie hectare dat uitkeek over de Stille Oceaan. Het familievermogen was blijkbaar aanzienlijk toegenomen en ze waren verhuisd sinds de laatste keer dat ik bij hen thuis was geweest. Het was een kast van een huis, opgetrokken in Franse barokstijl - een twee verdiepingen hoog middengebouw geflankeerd door twee in het oog springende torenvleugels. Het gestucte buitenwerk was wit en glad als het suikerglazuur op een bruidstaart, de dakrand en de ramen waren omzoomd met gepleisterde guirlandes, rozetten en schelpmotieven die zo uit een slagroomspuit hadden kunnen komen. Een bakstenen pad liep van de oprijlaan naar de over zee uitkijkende voorkant van het huis en via twee treden naar een breed, onoverdekt voorportaal, eveneens in baksteen uitgevoerd. Over de hele breedte van de ovaalvormige façade bevond zich een serie louvredeuren die toegang verschaften tot een serre aan de ene kant en een belvédère aan de andere. Een zwaarlijvige negerin in een wit uniform liet me binnen. Ik volgde haar als een zwerfhondje door een met zwarte en witte marmertegels belegde hal.
'Mevrouw Wood vroeg of u in de ochtendkamer wilde wachten,' zei ze, zonder op antwoord te wachten. Ze vertrok op dikke crêpezolen die geen geluid maakten op de glanzend gewreven parketvloer.
Ach, waarom ook niet, dacht ik bij mezelf, daar hang ik thuis ook meestal rond, in de ochtendkamer.
De wanden waren abrikooskleurig, het hoge gewelfde plafond was wit. Tussen de hoge gebogen ramen waar doorheen het licht naar binnen stroomde stonden grote varens op piëdestals. Het meubilair was biedermeier; een ronde tafel, zes stoelen met rieten rugleuningen. Er lag een Perzisch tapijt in roze en groene pasteltinten. Ik liep naar een van de

ramen en keek uit over het golvende terrein (zo noemen de rijken hun tuin). Het vertrek was C-vormig, de ene bocht van de C bood uitzicht op de oceaan en de andere op de bergen, zodat de ramen een compleet panorama boden. Lucht en zee, pijnbomen, een stukje van de stad, wolken die langs de berghellingen in de verte dreven...het was een werkelijk schitterend uitzicht. Zwenkende meeuwen, wit afgetekend tegen de donkere heuvels in het noorden, maakten het geheel nog idyllischer.
Waar ik de rijken zo om benijd is de stilte waarin ze leven door de enorme ruimte die ze tot hun beschikking hebben. Geld koopt licht en hoge plafonds, zes ramen waar één eigenlijk ook wel genoeg zou zijn. Er lag geen stof, er zaten geen strepen op de ruiten, geen kale plekken op de slanke, gebogen poten van de biedermeier stoelen. Ik hoorde een zacht geluid, en de negerin kwam terug met een serveerwagen met daarop een zilveren theeservies, een schaal gesorteerde dunne sandwiches en koekjes die de keukenmeid waarschijnlijk diezelfde dag had gebakken.
'Mevrouw Wood komt zo bij u,' zei ze tegen me.
'Dank u,' zei ik. 'Eh, is er ergens een toilet in de buurt?' 'WC' leek me hier niet op zijn plaats.
'Zeker, mevrouw. U gaat linksaf in de hal, en dan is het de eerste deur links.'
Ik liep er op mijn tenen naartoe en deed de deur achter me op slot, waarna ik mezelf wanhopig in de spiegel bekeek. Natuurlijk had ik weer de verkeerde kleren aan. Ik zat altijd fout als het om kleding ging. Naar het Edgewater Hotel had ik mijn jurk voor alle gelegenheden gedragen om te lunchen met Ashley, die zelf gekleed was alsof ze drijver was bij een jachtpartij. Nu had ik me eenvoudig gekleed, zo eenvoudig dat ik er bijna als een zwerver uitzag. Ik wist niet meer wat ik me voorgesteld had. Ik wist dat de Woods geld hadden. Ik was alleen vergeten hoeveel. Het probleem met mij is dat ik geen klasse heb. Ik ben opgegroeid in een huisje met twee slaapkamers en een totaal grondoppervlak van misschien tachtig vierkante meter, als je de kleine afgeschutte veranda meetelde. De tuin was een armoedige strook kruipgras, afgebakend met het soort wit hekwerk dat

je per deel koopt en gewoon in de grond steekt. Bij wijze van 'decor' had mijn tante een roze plastic flamingo op één poot neergezet, en tot mijn twaalfde had ik dat behoorlijk sjiek gevonden.
Ik probeerde niet naar het toilet te kijken, maar ik kon niet voorkomen dat ik een glimp opving van marmer, lichtblauw porselein en vergulde kranen. In een ondiep schaaltje lagen zes nog nooit door mensenhanden beroerde ovale zeepjes ter grootte van kwarteleitjes. Ik deed een plas, hield mijn handen onder de kraan en schudde het water eraf, want ik wilde niets vuil maken. De badstoffen handdoeken zagen eruit alsof de prijskaartjes er nog maar net af waren gehaald. Er lagen vier gastendoekjes naast de wastafel, als grote decoratieve papieren servetten, maar ik was veel te slim om daar in te trappen. Waar moest ik zo'n doekje na gebruik laten – in de vuilnisbak soms? Deze mensen hadden geen vuilnis. Ik droogde mijn handen af aan de kont van mijn spijkerbroek en liep met een vochtig gevoel van achteren terug naar de ochtendkamer. Ik durfde niet te gaan zitten.
Even later verscheen Ash met mevrouw Wood aan haar arm. De oude dame liep langzaam, met aarzelende passen, alsof ze zwemvliezen aan haar voeten had. Ik realiseerde me dat ze al in de zeventig moest zijn, wat inhield dat ze haar kinderen tamelijk laat gekregen had. Zeventig is hier niet zo oud. Het lijkt wel of de mensen in Californië langzamer oud worden dan in de rest van het land. Misschien is het de fanatieke toewijding aan dieet en lichaamsbeweging, misschien de populariteit van plastische chirurgie. Of misschien lijden we wel aan zo'n angst voor het ouder worden dat we het verschijnsel psychisch tot stilstand hebben gebracht. Mevrouw Wood beheerste die truc blijkbaar nog niet. De ouderdom had haar in zijn greep gekregen. Haar benen waren zwak en haar handen trilden, een verschijnsel dat haar een wrang soort vrolijkheid leek te bezorgen. Het leek alsof ze haar eigen bewegingen gadesloeg vanuit een soort buitenlichamelijke ervaring.
'Hallo, Kinsey. Dat is lang geleden,' zei ze. Ze hief haar gezicht naar me op toen ze sprak, een scherpe blik in haar donkere ogen. De energie die aan haar ledematen onttrok-

ken was, concentreerde zich nu in haar ogen. Ze had hoge jukbeenderen en een krachtige kin. De huid hing van haar gezicht als flinterdunne lappen leer, geplooid en gerimpeld, gelig van ouderdom als een paar geiteleren handschoenen. Ze was zwaar gebouwd, net als Ashley; breed in de schouders, met een omvangrijke taille. En net als Ash had ze vroeger misschien rood haar gehad. Nu droeg ze het donzige witte haar in een knotje boven op het hoofd, vastgezet met een serie schildpadden kammen. Ze droeg prachtige kleren - een soepel vallende marineblauwe kimono over een wikkeljurk van donkerrode zijde. Ash hielp haar in een stoel en trok de serveerwagen dichterbij zodat haar moeder toezicht kon houden op het schenkritueel.

Ash keek me aan. 'Heb je misschien liever sherry? De thee is Earl Grey.'

'Thee is prima.'

Ash schonk drie kopjes thee in terwijl Helen voor ons alledrie een schaaltje koekjes en flinterdunne sandwiches klaarmaakte. Witbrood met waterkers. Tarwebrood met kip-kerriesalade. Roggebrood met roomkaas en gerookte zalm. Er was iets in die rituele aandacht voor details dat me deed beseffen dat het ze geen van beiden iets kon schelen hoe ik gekleed was en of mijn sociale status wel gelijkwaardig was aan de hunne.

Ashley wierp me een stralende glimlach toe terwijl ze me mijn kopje thee aanreikte. 'Hier leven moeder en ik voor,' zei ze met kuiltjes in haar wangen.

'O ja,' zei Helen met een glimlach. 'Eten is de laatste grote ondeugd die me nog rest en ik ben van plan om onophoudelijk te zondigen zolang het me nog smaakt.' We aten en dronken thee en lachten en praatten over vroeger. Helen vertelde me dat zij en Woody allebei van eenvoudige komaf waren. Zijn vader had jarenlang een ijzerwinkel in de stad gehad. Haar vader was metselaar geweest. Allebei hadden ze een bescheiden bedrag geërfd dat ze bij elkaar hadden gelegd om ergens in de jaren veertig Wood/Warren op te richten. Het fortuin dat ze met het bedrijf hadden verdiend, was wat hun betrof leuk meegenomen. Woody beschouwde het leiden van het bedrijf als een zeer ernstige zaak, maar de winsten hadden ze altijd beschouwd als een gelukkig toeval. Helen zei dat hij een levensverzekering voor een bedrag van bijna twee miljoen dollar had afgesloten en dat hij dat een geweldige grap vond omdat het voor zover hij wist de enige investering was die gegarandeerd rendement opleverde.

Om vijf uur verontschuldigde Ash zich en liet Helen en mij alleen.

Helen kwam direct terzake. 'Vertel me nu maar eens over die kwestie met Lance.'

Ik vertelde haar wat ik wist. Ash had haar blijkbaar al enigszins op de hoogte gebracht, maar ze wilde het hele verhaal nog eens van mij horen.

'Ik wil dat je voor mij gaat werken,' zei ze onmiddellijk nadat ik uitgesproken was.

'Dat kan ik niet doen, Helen. Om te beginnen wil mijn advocaat dat ik zo ver mogelijk bij Lance uit de buurt blijf, en het is sowieso uitgesloten dat ik een opdracht aanneem van een familielid van hem. Het heeft er al de schijn van dat ik me heb laten omkopen.'

'Ik wil weten wie hier achter zit,' zei ze.

'Ik ook. Maar als het nou eens iemand in de familie blijkt te zijn? Ik wil je gevoelens niet kwetsen, maar die mogelijkheid kunnen we niet helemaal uitsluiten.'

'Dan zouden we moeten zorgen dat er een eind aan kwam. Ik hou niet van achterbaks gedoe, zeker niet als mensen van buiten het bedrijf er de dupe van worden. Hou je me op de hoogte?'

'Natuurlijk, voor zover het voor jou van belang is. Ik ben bereid om alles wat ik te weten kom met anderen te delen. Bij wijze van uitzondering hoef ik nu eens niet mijn opdrachtgever te beschermen.'

'Zeg me hoe ik je kan helpen.'

'Ik wil graag weten hoe Woody's testament eruit zag, als dat niet te persoonlijk is. Hoe is de nalatenschap verdeeld? Wie heeft de zeggenschap over het bedrijf?'

Even was er iets van irritatie op haar gezicht te zien. 'Dat was het enige waar we woorden over hebben gehad. Hij was vastbesloten om de zaak na te laten aan Lance, en daar was ik het in principe ook wel mee eens. Van alle kinderen leek Lance het meest geschikt om de zaak voort te zetten na de dood van zijn vader. Maar ik vond dat Woody hem dan ook de noodzakelijke macht had moeten geven. Woody wilde er niet aan. Hij weigerde absoluut om hem volledige zeggenschap te geven.'

'Hoe zat dat dan precies?'

'Eenenvijftig procent van de aandelen, zo zat dat. Ik zei: "Waarom geef je hem wel de positie als je hem niet de bijbehorende macht geeft? Laat die jongen het in godsnaam op zijn eigen manier doen, ouwe bok die je bent." Maar Woody wilde er niets van weten. Wilde de mogelijkheid niet eens in overweging nemen. Ik was des duivels, maar die ouwe dwaas wilde van geen wijken weten. God, wat kon die man koppig zijn als hij eenmaal iets in zijn hoofd had.'

'Waar maakte hij zich dan zo bezorgd over?'

'Hij was bang dat Lance het bedrijf naar de knoppen zou helpen. En inderdaad laat het beoordelingsvermogen van Lance soms wel eens te wensen over. Ik zal de eerste zijn om dat toe te geven. Hij lijkt niet zo'n gevoel voor de markt te hebben als Woody. Hij heeft niet zo'n goede verhouding met leveranciers of cliënten, om over het personeel nog maar niet te spreken. Lance is onstuimig en hij heeft grandioze plannen die nooit helemaal uit de verf komen. Het gaat nu beter, maar de laatste jaren voordat Woody overleed, liet Lance zich regelmatig meeslepen door een of ander maf idee dat hij zich in zijn hoofd had gehaald. Toen Woody nog leefde, kon hij Lance nog intomen, maar hij was als de dood dat Lance een rampzalige vergissing zou begaan.'

'Maar waarom heeft hij dan überhaupt het bedrijf aan hem nagelaten? Waarom heeft hij niet iemand aan het roer gezet in wie hij vertrouwen had?'

'Dat heb ik zelf ook voorgesteld, maar daar wilde hij niets van weten. Het moest een van onze jongens zijn, en Lance was de logische keus. Bass was...nou ja, je kent Bass. Die voelde er niets voor om in Woody's voetsporen te treden, tenzij die regelrecht naar de bank leidden.'

'En Ebony? Ash zei dat zij wèl in het bedrijf geïnteresseerd was.'

'Jawel, maar in de tijd dat Woody zijn testament opmaakte zat zij ergens in Europa en maakte geen aanstalten om binnen afzienbare tijd terug te komen.'
'Hoe werden de aandelen verdeeld?'
'Lance heeft achtenveertig procent. Ik heb er negen, onze procuratiehouder heeft drie procent en Ebony, Olive, Ash en Bass hebben ieder tien procent.'
'Is dat niet een wat merkwaardige verdeling?'
'Dat is gedaan om het Lance onmogelijk te maken om in zijn eentje belangrijke beslissingen te nemen. Om een meerderheid te krijgen moet hij minstens een van ons ervan zien te overtuigen dat datgene wat hij van plan is zakelijk gezien verstandig is. Normaal gesproken kan hij doen wat hij wil, maar als het erop aan komt kunnen we hem altijd overstemmen.'
'Dat moet voor hem toch om gek te worden zijn.'
'O, hij vindt het afschuwelijk, maar ik moet zeggen dat ik Woody's standpunt wat beter begin te begrijpen. Lance is nog jong en hij heeft nog niet zoveel ervaring. Laat hem eerst maar eens een paar jaar zijn gang gaan en dan zien we wel hoe de zaken ervoor staan.'
'Dan zou de situatie kunnen veranderen?'
'Nou ja, dat hangt er van af wat er met mijn aandelen gebeurt als ik kom te overlijden. Dat heeft Woody helemaal aan mij overgelaten. Ik hoef alleen maar drie procent van mijn aandelen aan Lance na te laten om hem een meerderheidsbelang te verschaffen. Dan zou niemand hem nog iets in de weg kunnen leggen.'
'Klinkt als de intrige van een soap opera.'
'Als puntje bij paaltje komt, kan ik net zoveel macht uitoefenen als een man. Afgezien van eten geniet ik daar nog het meeste van.' Ze keek op het horloge dat op haar jurk gespeld zat, stak toen haar hand uit en drukte op een knopje aan de muur waarmee blijkbaar het dienstmeisje opgeroepen kon worden. 'Tijd voor mijn uurtje in het zwembad. Heb je misschien zin om mee te doen? We hebben extra badpakken en ik zou het leuk vinden om gezelschap te hebben. Ik zwem nog steeds vijftienhonderd meter, maar ik verveel me dood.'

'Een andere keer misschien. Om eerlijk te zijn ben ik niet zo'n waterrat.' Ik stond op en gaf haar een hand. 'Het was heel gezellig. Bedankt voor de uitnodiging.'
'Je bent altijd welkom. Ondertussen zal ik ervoor zorgen dat Ebony en Olive je alle informatie verstrekken die je nodig hebt.'
'Dat zou ik zeer op prijs stellen. Ik kom er wel uit.'
Terwijl ik door de hal liep, kwam ik het dienstmeisje tegen met een draagbare rolstoel.
Achter haar ging de voordeur open, en Ebony kwam binnen. Ik had haar voor het laatst gezien toen ik zeventien was. Ze moest toen vijfentwintig zijn geweest, wat me indertijd als ontzettend rijp en wereldwijs voorkwam. Ze had nog altijd hetzelfde vermogen om mensen te intimideren. Ze was lang, broodmager, hoge jukbeenderen, donkerrode lipstick. Ze had gitzwart haar dat ze strak achterover getrokken droeg met een strik in haar nek. Ze was oorspronkelijk naar Europa gegaan als fotomodel en ze bewoog zich nog altijd alsof ze op een podium liep. Ze had twee jaar aan de Technische Hogeschool van Californië gestudeerd, was er toen mee opgehouden, had vervolgens haar geluk beproefd in de fotografie, de danskunst, een ontwerpersopleiding en de free-lancejournalistiek voordat ze als model was gaan werken. Ze was een jaar of zes getrouwd geweest met een man wiens naam kortgeleden in verband was gebracht met prinses Caroline van Monaco. Voor zover ik wist had Ebony geen kinderen en op veertigjarige leeftijd zou ze die waarschijnlijk ook niet meer krijgen.
Ze bleef staan toen ze me zag, en even wist ik niet of ze me herkende. Ze wierp me een koel glimlachje toe en liep verder in de richting van de trap.
'Hallo, Kinsey. Kom mee naar boven. Ik denk dat we even moeten praten.'
Ik liep achter haar aan. Ze droeg een zwart kostuum met brede schouders en een smalle taille, een spierwitte overhemdblouse, glimmende knielaarzen met hoge hakken die scherp genoeg waren om een goedkope vloerbedekking mee te doorboren. Ze rook naar een doordringend parfum, donker en krachtig, lichtelijk onaangenaam van dichtbij. Een

vleugje zweefde me tegemoet als dieselolie. Hier zou ik vast en zeker hoofdpijn van krijgen, dat wist ik nu al. Ik was al geïrriteerd door haar houding, die op zijn zachtst gezegd autoritair was.
De eerste verdieping was bedekt met lichtbeige tapijt, zo dik dat het leek alsof we door rul zand ploegden. De gang was breed genoeg om plaats te bieden aan een sofa en een massieve antieke kast. Op de een of andere manier verbaasde het me dat ze in het ouderlijk huis woonde. Misschien dat ze, net als Ash, hier tijdelijk haar intrek had genomen totdat ze ergens anders permanente woonruimte had gevonden.
Ze deed een slaapkamerdeur open en stapte opzij om me voor te laten gaan. Ze had schoolhoofd moeten worden, dacht ik bij mezelf. Met een klein zweepje zou ze een toonbeeld van heerszucht zijn geweest. Zodra ik de kamer binnen was gegaan, deed ze de deur dicht en leunde er tegenaan, haar hand nog altijd op de kruk achter haar rug. De rijkelijk aangebrachte poeder legde een matte, bleke vernis over haar gezicht, als een masker van rijp.

HOOFDSTUK NEGEN

Links van me bevond zich een alkoof, ingericht als zitkamertje met een salontafel en twee fauteuils. 'Ga zitten,' zei ze.
'Waarom vertel je me niet gewoon wat je op je hart hebt?'
Ze haalde haar schouders op en liep de kamer door. Ze boog zich voorover en nam een sigaret uit de kristallen doos op het salontafeltje. Daarna nam ze plaats in een van de fauteuils. Ze stak haar sigaret aan. Ze blies de rook uit. Elke beweging was weloverwogen, bedoeld om zoveel mogelijk aandacht te trekken.
Ik liep naar de deur en deed die open. 'Bedankt voor de excursie naar boven. Het was enig,' zei ik, terwijl ik de kamer uitstapte.
'Kinsey, wacht even. Alsjeblieft.' Ik bleef staan en keek om.
'Het spijt me. Neem me niet kwalijk. Ik weet dat ik me ongemanierd gedraag.'
'Het kan me niet schelen dat je je ongemanierd gedraagt, Ebony. Als je maar wel een beetje opschiet.'
Haar glimlach was kil. 'Ga alsjeblieft zitten.'
Ik ging zitten.
'Wil je een martini?' Ze legde haar brandende sigaret op de rand van de asbak en opende een koelkastje dat in de salontafel was ingebouwd. Ze haalde er gekoelde glazen, een potje groene olijven zonder pit en een fles gin uit te voorschijn. Vermouth was nergens te zien. Haar nagels waren zo lang dat ze niet echt konden zijn, maar ze stelden haar wel in staat om de olijven uit de pot te halen zonder haar vingers nat te maken. Ze prikte de olijven een voor een aan een spitse acrylnagel en haalde ze zo uit het potje. Ik keek toe terwijl ze de gin inschonk met een glinstering in haar ogen die deed vermoeden dat haar dorst wel eens structureel van aard kon zijn. Ze gaf me mijn glas aan. 'Hoe zit dat nou precies met jou en Lance?'
'Waarom wil je dat weten?'

'Omdat ik nieuwsgierig ben. Alles wat hem raakt, raakt ook de zaak. Ik wil weten wat er gaande is.' Ze pakte haar sigaret weer op en nam een flinke trek. De nicotine en de alcohol leken me bedoeld als kalmeringsmiddel voor haar innerlijke onrust.
'Hij weet net zoveel als ik. Waarom vraag je het hem niet?'
'Ik dacht dat jij het me wel kon vertellen, nu je toch hier bent.' 'Ik weet niet of dat wel zo'n goed idee is. Hij schijnt te denken dat jij erbij betrokken bent.'
Ze glimlachte, maar het was geen vrolijke glimlach. 'In deze familie ben ik nergens bij betrokken. Ik wou dat dat wèl zo was.'
Ik voelde weer een vlaag van ongeduld in me opwellen. Ik zei: 'Jezus, laten we nou ophouden met er omheen te draaien. Ik haat dit soort gesprekken. Ik zal je zeggen wat er aan de hand is. Iemand heeft me een loer gedraaid en daar baal ik van. Ik heb geen idee waarom en dat kan me eigenlijk ook geen barst schelen, maar ik zal er achter komen wie me dat kunstje geflikt heeft. Momenteel werk ik voor mezelf, dus ik hoef aan niemand verantwoording af te leggen. Als je meer wilt weten, dan neem je maar een privé-detective in de arm. Ikzelf ben op dit moment bezet.'
Haar gelaatsuitdrukking verhardde zich. 'Ik had gehoopt dat je voor rede vatbaar zou zijn.'
'Waarom zou ik? Ik weet niet wat er aan de hand is, maar het bevalt me niets. Wie zegt me dat jij er niet achter zit, of er in elk geval meer van weet?'
'Je neemt niet bepaald een blad voor de mond, hè?'
'Waarom zou ik? Ik werk niet voor jou.'
'Ik heb je een simpele vraag gesteld. Ik zie dat je vastbesloten bent om dwars te gaan liggen.' Ze drukte haar half opgerookte sigaret uit.
Ze had gelijk. Ik had de pest in en ik wist zelf niet precies waarom. Ik haalde diep adem en dwong mezelf tot kalmte te komen. Niet vanwege haar, maar voor mezelf.
Ik begon opnieuw. 'Je hebt gelijk. Ik loop een beetje te hard van stapel. Ik dacht niet dat ik zo de ziekte in had, maar dat heb ik blijkbaar wèl. Op de een of andere manier ben ik verwikkeld geraakt in een familiekwestie en dat bevalt me van geen kanten.'

'Hoe weet je zo zeker dat het een familiekwestie is? Als het nou eens iemand van buiten het bedrijf is?'
'Wie bijvoorbeeld?'
'We hebben concurrenten, net als iedereen.' Ze nam een slok van haar martini en liet de ijskoude vloeistof genietend door haar keel glijden. Haar gezicht was smal, fijn besneden. Met haar gave, rimpelloze huid had ze wel iets weg van een luxe pop. Of ze had al plastische chirurgie ondergaan òf ze had op een of andere manier geleerd om niet het soort gevoelens te koesteren dat veelzeggende sporen achterlaat. Het was nauwelijks voorstelbaar dat zij en Ash zussen waren. Ash was ongecompliceerd en open, met een zonnig karakter, goedgehumeurd, gemakkelijk, ontspannen. Ebony was broodmager en hoekig - breekbaar, gereserveerd, beheerst, arrogant. Het was mogelijk, dacht ik, dat de verschillen tussen hen gedeeltelijk verklaard konden worden uit hun verschillende posities binnen de familie. Ebony was de oudste dochter, Ash de jongste. Woody en Helen hadden waarschijnlijk van hun eerste kind perfectie verwacht. Tegen de tijd dat Ash geboren werd, en later nog Bass, koesterden ze waarschijnlijk geen enkele illusie meer.
Ebony speelde met de olijf in haar glas. Ze stak haar vingernagel in het gat, plukte hem eruit en legde het groene bolletje op haar tong. Haar lippen sloten zich rond haar vinger en ze maakte een zacht zuigend geluid. Het gebaar had iets obsceens en plotseling vroeg ik me af of ze soms avances in mijn richting maakte.
Ze zei: 'Ik neem aan dat je me niet wilt vertellen wat moeder van je wilde?'
Ik voelde dat ik weer nijdig begon te worden. 'Praten jullie nooit met elkaar? Ze heeft me uitgenodigd op de thee. We hebben wat zitten praten over vroeger. Ik ben niet van plan om dat allemaal aan jou over te brieven. Als je wilt weten waar we over gepraat hebben, dan vraag je dat maar aan haar. Zodra ik er achter ben wat er precies aan de hand is, zal ik je met liefde en plezier alles vertellen. Ondertussen lijkt het me niet verstandig om alles wat ik weet rond te bazuinen.'
Ebony reageerde geamuseerd. Ik zag haar mondhoeken krullen.

Ik keek haar recht in de ogen. 'Vind je dat zo grappig?'
Ze lachte. 'Neem me niet kwalijk. Ik wil niet neerbuigend doen, maar je bent nog precies hetzelfde als vroeger. Al die energie. Zo heetgebakerd en defensief.'
Ik staarde haar aan, niet wetend wat te zeggen.
'Het is je beroep,' vervolgde ze op vriendelijke toon. 'Dat begrijp ik best. Ik vraag je ook niet om vertrouwelijkheden te onthullen. Dit is mijn familie en ik maak me ongerust over wat er gaande is. Dat is alles. Als ik je op een of andere manier kan helpen, wil ik dat met alle plezier doen. Als je iets te weten komt dat betrekking heeft op mij, zou ik dat graag willen horen. Is dat zo onredelijk?'
'Natuurlijk niet. Sorry,' zei ik. Ik kwam terug op iets dat ze eerder tijdens het gesprek gezegd had. 'Je zei dat de aanstichter van dit alles misschien wel iemand van buiten het bedrijf is. Bedoelde je dat in algemene zin of had je een speciaal iemand op het oog?'
Ze haalde haar schouders op. 'Meer in het algemeen, eigenlijk, hoewel ik wel iemand ken die ons haat als de pest.' Ze zweeg even, alsof ze niet goed wist hoe ze datgene wat ze wilde zeggen onder woorden moest brengen. 'Er was een ingenieur die jarenlang voor ons gewerkt had. Een zekere Hugh Case. Twee jaar geleden, een paar maanden voordat vader stierf, is hij - eh, heeft hij zelfmoord gepleegd.'
'Was er enig verband?'
Ze scheen enigszins verrast. 'Met de dood van vader? O, nee, ik weet zeker van niet, maar van wat ik gehoord heb was Hughs vrouw ervan overtuigd dat Lance verantwoordelijk was.'
'Hoezo?'
'Voor de details zul je bij iemand anders moeten zijn. Ik zat in die tijd in Europa, dus ik weet er niet zoveel van, alleen dat Hugh zichzelf in zijn garage opsloot en de motor van zijn auto liet lopen totdat hij stierf aan koolmonoxydevergiftiging.' Ze zweeg even om weer een sigaret op te steken en gebruikte de gedoofde lucifer om de as in de asbak op een net hoopje te vegen.
'Zijn vrouw had het gevoel dat Lance hem daartoe gedreven had?'

‘Niet precies. Ze dacht dat Lance hem vermoord had.’
‘Ach, kom nou!’
‘Nou ja, Lance was degene die er beter van zou worden. In die tijd deed het gerucht de ronde dat Hugh Case van plan was om weg te gaan bij Wood/Warren en een eigen bedrijf op te zetten dat met het onze zou gaan concurreren. Hij stond aan het hoofd van de afdeling research en ontwikkeling, en blijkbaar was hij een revolutionair nieuw proces op het spoor gekomen. Zijn desertie had ons ernstige schade kunnen berokkenen. Er zijn in heel Amerika maar een stuk of vijftien bedrijven in onze branche werkzaam, dus we zouden het zeker gevoeld hebben.’
‘Maar dat is belachelijk. Iemand wordt toch niet vermoord omdat hij van baan wil veranderen!’
Ebony trok haar wenkbrauwen op. ‘Tenzij dat een onherstelbare financiële klap betekent voor het bedrijf dat hij verlaat.’
‘Ebony, ik kan mijn oren niet geloven. Jij zit daar rustig zoiets over je eigen broer te beweren?’
‘Kinsey, ik vertel je alleen maar wat ik gehoord heb. Ik heb nooit gezegd dat *ik* het geloofde, alleen maar dat Hughs vrouw het geloofde.’
‘De politie moet een onderzoek hebben ingesteld. Wat heeft dat opgeleverd?’
‘Ik heb geen idee. Dat zou je aan hen moeten vragen.’
‘Dat zal ik ook zeker doen. Het heeft misschien niets met de zaak te maken, maar het is in elk geval de moeite van het natrekken waard. Hoe zit het met mevrouw Case? Waar woont die tegenwoordig?’
‘Ik heb gehoord dat ze verhuisd is, maar zeker weet ik het niet. Ze was barjuffrouw in de cocktailbar op de luchthaven. Misschien weten ze daar waar ze heen gegaan is. Haar naam is Lyda Case. Als ze hertrouwd is of haar meisjesnaam weer heeft aangenomen, dan zou ik niet weten hoe je haar op zou moeten sporen.’
‘Weet je verder nog iemand die het op Lance gemunt zou kunnen hebben?’
‘Eigenlijk niet.’
‘En jij zelf? Ik heb gehoord dat jij belangstelling hebt voor

het bedrijf. Is dat niet de reden waarom je terug bent gekomen?'
'Gedeeltelijk. Lance heeft een paar flinke stommiteiten uitgehaald sinds hij de zaak heeft overgenomen. Ik vond het tijd worden om terug te komen en alles in het werk te stellen om mijn belangen te beschermen.'
'Hoe bedoel je dat?'
'Precies zoals ik het zeg. Hij vormt een bedreiging. Ik zou hem er het liefst uit werken.'
'Dus als hij beschuldigd wordt van verzekeringsfraude, zul jij daar geen traan om laten.'
'Niet als hij schuldig is. Het zou zijn verdiende loon zijn. Ik ben op zijn baan uit. Daar maak ik geen geheim van, maar ik ben beslist niet van plan om dat op een achterbakse manier aan te pakken, als je daar tenminste op doelt,' zei ze bijna schalks.
'Ik waardeer je openhartigheid,' zei ik, hoewel haar houding me irriteerde. Ik had verwacht dat ze zich defensief op zou stellen. In plaats daarvan maakte ze een geamuseerde indruk. Een van de redenen waarom ik Ebony niet mocht, was dat air van superioriteit dat alles wat ze deed onderstreepte. Ash had me verteld dat Ebony altijd beschouwd was als een snel type. Op de high school was ze al een wilde meid geweest, zo eentje die overal voor te porren was. Op een leeftijd dat alle anderen druk bezig waren zich te conformeren, had Ebony precies gedaan waar ze zin in had. 'Rookte, had een grote bek tegen volwassenen en ging met jan en alleman naar bed,' had Ash gezegd. Op haar zeventiende trok ze zich van niets en niemand meer iets aan, en nu scheen ze een onuitwisbaar stempel van arrogante onverschilligheid met zich mee te dragen. Haar macht lag in het feit dat ze er geen enkele behoefte aan had om bij anderen in de smaak te vallen en dat het haar niet in het minst interesseerde hoe je over haar dacht. Ik vond haar gezelschap uitputtend en plotseling voelde ik me te moe om haar nader aan de tand te voelen over het glimlachje dat rond haar lippen speelde.
Het was kwart over zes. Thee met wat hapjes was niet echt genoeg voor iemand met mijn ordinaire eetlust. Ik voelde

me plotseling uitgehongerd. Van martini's krijg ik toch alleen maar hoofdpijn en ik wist dat ik naar sigaretterook stonk.
Ik nam afscheid en reed naar huis. Onderweg stopte ik bij McDonald's om een quarterpounder met kaas, een grote portie frites en een Coke naar binnen te werken. Dit was niet het moment om mijn gestel te kwellen met gezonde voeding, vond ik. Als toetje nam ik zo'n stuk warm gebak met een vulling van hete lijm waar je mond van in brand raakt. Goddelijk.
Toen ik thuis kwam, kreeg ik weer last van dat verontrustende gevoel van melancholie dat me geregeld overviel sinds Henry in het vliegtuig naar Michigan was gestapt. Het is niet mijn stijl om me eenzaam te voelen of om me ook maar een moment te beklagen over mijn onafhankelijke status. Ik vind het prettig om alleen te zijn. Eenzaamheid geeft me de gelegenheid om tot mezelf te komen en ik heb legio manieren om me te vermaken. Het probleem was dat ik er nu geen enkele kon bedenken. Ik geef niet toe aan depressieve neigingen, maar tegen acht uur lag ik in bed...niet echt *cool* voor een door de wol geverfde privé-detective die een eenvrouwsoorlog voerde tegen de slechteriken van deze wereld.

HOOFDSTUK TIEN

Tegen één uur de volgende middag had ik Lyda Case per telefoon opgespoord in een cocktailbar op de luchthaven Dallas/Fort Worth, waar ze achter de bar stond en de hoorn met zoveel geweld op de haak smeet dat ik bang was dat ik mijn gehoor weer moest laten controleren. Vorig jaar mei was ik genoodzaakt geweest iemand neer te schieten van onder uit een vuilniscontainer en sinds die tijd heb ik last van suizende oren. Lyda maakte het er niet bepaald beter op...ook al omdat ze een heel lelijk woord tegen me zei voordat ze de hoorn neersmeet. Ik had behoorlijk de pest in. Het had nogal wat moeite gekost om haar op te sporen en dit was al de tweede keer dat ze de verbinding verbrak.
Ik was om tien uur 's ochtends begonnen met een telefoontje naar de plaatselijke afdeling van de Vakbond voor Horecapersoneel, waar men weigerde om me ook maar iets te vertellen. Ik heb de laatste tijd wel vaker gemerkt dat organisaties een beetje moeilijk gaan doen over dit soort dingen. Vroeger kon je ze gewoon bellen, een plausibel verhaal ophangen en dan had je binnen een paar minuten alle informatie die je wilde. Nu kun je geen namen, adressen of telefoonnummers meer krijgen. Je kunt iemands staat van dienst niet meer opvragen, geen banksaldo, geen kopie van een aanstellingsbrief. Meestal kun je niet eens bevestiging krijgen van de feiten die je al tot je beschikking hebt. En de scholen, de Sociale Dienst en de plaatselijke gevangenis kun je gerust overslaan. Die vertellen je gegarandeerd niets.
'Dat is vertrouwelijke informatie,' zeggen ze. 'Het spijt me, maar dat zou een inbreuk zijn op de privacy van onze cliënt.'
Ik haat dat autoritaire toontje dat ze aanslaan, al die kantoorbedienden en receptionisten. Ze vinden het *heerlijk* om je niet te vertellen wat je wilt weten. En ze zijn niet op hun achterhoofd gevallen. Ze trappen niet meer in de verhaaltjes die een paar jaar geleden nog voortreffelijk werkten. Het is om je rot te ergeren.

Ik besloot om het dan maar op de beproefde manier aan te pakken. Als je overal nul op het rekest krijgt, probeer het dan bij het gemeentehuis, de openbare bibliotheek of het Bureau voor Motorrijtuigenbelasting. Die helpen je wel. Soms moet je er iets voor betalen, maar wat dan nog?
Ik ging naar de bibliotheek en zocht net zo lang in oude telefoongidsen tot ik Hugh en Lyda Case vond. Ik noteerde het adres en ging toen in het adressenbestand op zoek naar mensen die twee jaar geleden in hetzelfde flatgebouw hadden gewoond. Ik belde de een na de ander en hing tegenover iedereen hetzelfde flauwekulverhaal op. Uiteindelijk kreeg ik iemand aan de lijn die wist hoe Hugh aan zijn einde was gekomen. Ze dachten dat zijn weduwe naar Dallas was verhuisd.
Even maakte ik me zorgen dat Lyda Case misschien niet in het telefoonboek zou staan, maar ik belde Inlichtingen in Dallas en kreeg meteen haar nummer. Verdraaid, dit was eigenlijk best leuk werk. Ik draaide het nummer en er werd vrijwel direct opgenomen.
'Hallo.'
'Ik zou graag met Lyda Case spreken.'
'Daar spreekt u mee.'
'Echt waar?' vroeg ik, verbaasd over mijn eigen scherpzinnigheid.
'Met wie spreek ik?' Haar stem klonk vlak.
Ik had niet verwacht dat ik haar aan de telefoon zou krijgen en ik had nog geen geschikte smoes verzonnen, dus was ik wel gedwongen om de waarheid te zeggen. 'Mijn naam is Kinsey Millhone. Ik ben privé-detective in Santa Teresa, Californië...'
Pats, de hoorn op de haak. Ik probeerde het opnieuw, maar ze nam niet meer op.
Ik moest erachter zien te komen waar ze werkte en ik kon moeilijk elke bar in de regio Dallas/Fort Worth gaan bellen, aangenomen tenminste dat ze nog steeds dat soort werk deed. Ik belde Inlichtingen weer en kreeg het nummer van de plaatselijke afdeling van de Vakbond voor Horecapersoneel in Dallas. Ik had mijn vinger al in de kiesschijf toen ik me realiseerde dat ik een krijgslist moest bedenken.

Ik dacht even na. Het zou helpen als ik het sociaal verzekeringsnummer van Lyda Case wist. Dat zou mijn zwendelpraktijken wat geloofwaardiger kunnen maken. Probeer nooit dergelijke informatie van een Bedrijfsvereniging los te krijgen. Die liggen samen met banken veruit op kop wat betreft hun ijver om je zoveel mogelijk dwars te zitten. Ik zou aangewezen zijn op de archieven van openbare instellingen.
Ik trok een jack aan, pakte mijn handtas en mijn autosleutels en reed naar het gerechtsgebouw. Het Bureau Kiezersregistratie bevindt zich in het souterrain, een brede trap af met rode tegeltjes en een leuning van oud touw zo dik als een boa constrictor.
Ik volgde de bordjes rechtsaf een korte gang door en kwam via een glazen deur het kantoor binnen. Achter de balie zaten twee mensen te werken, maar niemand besteedde enige aandacht aan mij. Er stond een computerterminal op de balie en ik tikte de naam Lyda Case in. Ik sloot heel even mijn ogen en prevelde een schietgebedje tot de god van de bureaucratie. Als Lyda zich op enig tijdstip gedurende de afgelopen zes jaar had laten inschrijven als kiesgerechtigde, zou het herziene formulier niet haar sociaal verzekeringsnummer vermelden. Die vraag was in 1976 geschrapt.
Haar naam verscheen op het scherm, gevolgd door regel na regel groene tekst. Lyda Case had zich voor het eerst laten inschrijven als kiesgerechtigde op 14 oktober 1974. Het nummer van de oorspronkelijke beëdigde verklaring stond op de laatste regel. Ik noteerde het nummer en gaf het aan de medewerkster die naar de balie was gekomen toen ze zag dat ik hulp nodig had.
Ze verdween naar achteren, waar de oude archieven bewaard worden. Een paar minuten later kwam ze terug met de beëdigde verklaring in haar hand. Het sociaal verzekeringsnummer van Lyda Case was keurig ingevuld. Als extraatje kreeg ik ook nog haar geboortedatum te zien. Ik begon te lachen toen ik die zag. De medewerkster glimlachte en uit de blik die we wisselden maakte ik op dat ze over bepaalde dingen hetzelfde dacht als ik. Ik ben gek op informatie. Soms voel ik me net een archeoloog, gravend naar feiten, gegevens blootleggend met behulp van mijn gezond

verstand en een pen. Ik maakte aantekeningen terwijl ik zachtjes voor me uit neuriede.
Nu kon ik aan de slag.
Ik reed terug naar huis en belde weer het nummer van de Vakbondsafdeling voor Horecapersoneel in Santa Teresa.
'Afdeling Vier Achtennegentig,' zei een vrouwenstem.
'O, hallo,' zei ik. 'Met wie spreek ik?'
'Ik ben de administratief medewerkster,' zei ze stijfjes. 'Mag ik vragen wie u bent?'
'O, neem me niet kwalijk. Natuurlijk. Ik ben Vicky van de Kamer van Koophandel. Ik ben bezig met het adresseren van uitnodigingen voor het jaarlijkse diner van de Raad van Bestuur en ik zou graag je naam weten.'
Het bleef even stil aan de andere kant van de lijn. 'Rowena Feldstaff,' zei ze toen, en spelde het zorgvuldig voor me.
'Bedankt.'
Ik belde Texas weer. De telefoon aan de andere kant ging vier keer over voordat iemand opnam.
'Vakbondsafdeling Drie Vijf Drie Horecapersoneel, met Mary Jane. 'Kan ik u helpen?' Ze had een zachte stem met een licht Texaans accent. Ze klonk alsof ze een jaar of twintig was.
'Vast wel, Mary Jane,' zei ik. 'Je spreekt met Rowena Feldstaff in Santa Teresa, Californië. Ik ben administratief medewerkster van Afdeling Vier Achtennegentig en ik probeer erachter te komen waar ene Lyda Case tegenwoordig werkt. CASE...' Daarna ratelde ik haar geboortedatum en haar sociaal verzekeringsnummer af, alsof ik het oplas uit mijn eigen archief.
'Als je me jullie telefoonnummer geeft, bel ik je straks terug,' zei Mary Jane.
'Prima,' zei ik en gaf haar mijn eigen nummer.
Een paar minuten later rinkelde mijn telefoon. Ik meldde me als Afdeling Vier Achtennegentig en Mary Jane was zo vriendelijk om me te vertellen wie de huidige werkgever van Lyda Case was, compleet met adres en telefoonnummer. Ze werkte in een van de cocktailbars op de luchthaven van Dallas/Fort Worth.
Ik belde de bar en een van de serveersters vertelde me dat

Lyda om drie uur zou beginnen, plaatselijke tijd, wat in Californië één uur was.
Om één uur belde ik terug en mijn gehoor kreeg weer een flinke aanslag te verwerken. Tjonge, die dame hield niet van halve maatregelen. Als het zo nog een tijdje doorging, zou ik binnenkort met zo'n toeter aan mijn oor moeten lopen.
Als ik op basis van een onkostenvergoeding had gewerkt, zou ik naar het vliegveld van Santa Teresa gereden zijn en een vliegtuig naar Dallas hebben genomen. Ik kan erg royaal zijn van andermans geld. Als het mijn eigen centen zijn, denk ik er eerst nog eens over na, want ik ben nogal zuinig.
Ik stapte in mijn auto en reed naar het politiebureau. Jonah Robb, mijn gebruikelijke bron van illegale informatie, was de stad uit. Brigadier Schiffman, die hem verving, was niet zo snel van begrip en voelde er eigenlijk niet zoveel voor om met de regels te sjoemelen, dus ik omzeilde hem en ging rechtstreeks naar Emerald, de zwarte archiefmedewerkster. Technisch gesproken wordt ze niet verondersteld het soort informatie te verschaffen waar ik om verlegen zat, maar meestal is ze wel bereid om te helpen als er niemand in de buurt is die haar kan betrappen.
Ik leunde op de balie en wachtte tot ze klaar was met het uittikken van een memo. Ze maakte geen haast om naar me toe te komen, waarschijnlijk omdat ze wel aanvoelde dat ik niets goeds in mijn schild voerde. Ze is in de veertig en haar huidskleur is ongeveer die van een havannasigaar. Ze heeft heel kortgeknipt haar dat haar hoofd als een glanzende, matzwarte muts omsluit. Ze is zo'n vijfenveertig pond te zwaar en al die ponden zitten rond haar taille, haar buik en haar achterste.
'Uh-uh,' zei ze tegen me toen ze naar de balie kwam. Haar stem is hoger dan je zou verwachten van een vrouw van haar postuur, en klinkt enigszins nasaal. Af en toe lijkt het alsof ze heel licht lispelt. 'Wat wil je? Ik durf het nauwelijks te vragen.'
Ze droeg het voorgeschreven uniform, een marineblauwe rok en een witte blouse met korte mouwen die smetteloos afstak tegen het tabaksbruin van haar armen. De badge op

haar mouw vermeldde Santa Teresa Police Department, maar in feite maakt ze deel uit van het burgerpersoneel.
'Hallo, Emerald. Hoe staat het leven?'
'Druk. Zeg dus maar gelijk wat je van me wilt,' zei ze.
'Ik wil graag dat je iets voor me opzoekt.'
'Alweer? Dankzij jou vlieg ik een dezer dagen nog eens de laan uit. Wat wil je weten?' Haar toon werd geneutraliseerd door een samenzweerderig glimlachje waardoor er kuiltjes in haar wangen verschenen.
'Een zelfmoord, twee jaar geleden,' zei ik. 'De naam van de man was Hugh Case.'
Ze staarde me aan.
Oh-oh, dacht ik. 'Weet je wie ik bedoel?'
'Jazeker weet ik dat. Het verbaast me alleen dat jij het niet weet.'
'Hoezo? Ik neem aan dat het geen alledaags geval was.'
Daar moest ze om lachen. 'O, liefje, geen sprake van. Geen *sprake* van. Uh huh. Inspecteur Dolan wordt nog altijd witheet als hij die naam hoort.'
'Waarom?'
'Waarom? Omdat het bewijsmateriaal verdwenen is, dáárom. Ik weet dat er bij St. Terry twee mensen vanwege die kwestie ontslagen zijn.'
In het Santa Teresa-ziekenhuis, St. Terry, bevindt zich ook het lijkenhuis.
'Wat voor bewijsmateriaal is er verdwenen?' vroeg ik.
'Bloed, urine, weefselmonsters, de hele santekraam. En niet alleen van hem. De koerier haalde het spul die dag op om het naar het laboratorium van de lijkschouwer te brengen, en daarna is het op een of andere manier spoorloos verdwenen.'
'Jezus. Maar het lijk dan? Waarom konden ze het werk niet gewoon opnieuw doen?'
Emerald schudde het hoofd. 'Tegen de tijd dat ze erachter kwamen dat de monsters verdwenen waren, was de heer Case al gecremeerd. Zijn as was, hoe zeg je dat ook al weer...uitgestrooid over de golven.'
'Jezus nog aan toe, het is toch niet waar?'
'Nou en of, mevrouwtje. De autopsie was al verricht en dr.

Yee had het lijk al vrijgegeven voor het mortuarium. Mevrouw Case wilde geen begrafenis, dus ze gaf opdracht om hem te cremeren. Hij was in rook opgegaan. Sommige mensen kregen zowat een beroerte. Dr. Yee heeft St. Terry zowat binnenstebuiten gekeerd. Er is nooit meer iets te voorschijn gekomen. Inspecteur Dolan was razend. Ik heb gehoord dat ze inmiddels een hele nieuwe procedure hebben ingesteld. De beveiliging is nu optimaal.'
'Maar wat dachten ze dat er gebeurd was? Was het echt diefstal?'
'Dat moet je mij niet vragen. Zoals ik al zei is er bij die gelegenheid ook een hoop ander materiaal verdwenen, dus het ziekenhuis had geen flauw idee wat er aan de hand was. Misschien dat iemand al dat spul per ongeluk weggegooid heeft en er later niet voor uit durfde te komen.'
'Wat had Dolan ermee te maken? Ik dacht dat het zelfmoord was.'
'Je weet toch dat de doodsoorzaak pas officieel vastgesteld wordt nadat de rapporten binnen zijn.'
'Jawel,' zei ik. 'Ik vroeg me alleen maar af of de inspecteur aanvankelijk misschien enige twijfels koesterde.'
'De inspecteur koestert altijd twijfels. En dat zal nog erger worden als hij merkt dat jij hier rondsnuffelt. En nou moet ik weer aan het werk. En denk erom dat je aan niemand vertelt dat je deze informatie van mij hebt.'
Ik reed naar de afdeling Pathologie van St. Terry, waar ik een praatje maakte met een van de labmedewerksters met wie ik al eens eerder te maken had gehad. Zij bevestigde wat Emerald me verteld had en voegde er nog enkele details over de indertijd gebruikelijke procedure aan toe. Ze vertelde me dat een koerier van het bureau van de lijkschouwer dagelijks een rit maakte met een bloedplasma-transportwagen langs de laboratoria en gerechtelijke instanties. Monsters die hij mee moest nemen werden verzegeld, van een label voorzien en in koelboxen gestopt, net als picknickbenodigdheden. De 'picknickmandjes' zelf werden opgeslagen in de koelcel van het lab totdat de koerier zich meldde. De laboratoriumassistent haalde dan de koelbox te voorschijn. De koerier tekende een ontvangstbewijs en vertrok dan

weer. Het Hugh Case-'materiaal', zoals ze het fijngevoelig noemde, was nooit meer teruggezien nadat het het ziekenhuis verlaten had. Of het nu onderweg verdwenen was of nadat het bij het laboratorium van de lijkschouwer was afgeleverd, was nooit duidelijk geworden. De assistente van St. Terry zwoer dat ze het aan de koerier had meegegeven en ze kon een getekend ontvangstbewijs overleggen. Ze nam aan dat de koelbox ter bestemder plaatse was gearriveerd, zoals al jarenlang elke dag het geval was geweest. De koerier herinnerde zich dat hij de box in zijn wagen had gezet en nam aan dat hij zich bevond onder de spullen die hij aan het eind van zijn rit had afgeleverd. Pas nadat er enkele dagen verstreken waren en dr. Yee begon aan te dringen op de laboratoriumuitslagen van de toxicologische tests, kwam de verdwijning aan het licht. Maar natuurlijk was tegen die tijd, zoals Emerald al gezegd had, het stoffelijk overschot van Hugh Case al tot as vergaan en uitgestrooid over de golven.
In een van de telefooncellen in de hal van het ziekenhuis belde ik mijn reisagent en informeerde naar de eerstvolgende vlucht naar Dallas. Er was nog één plaats vrij op de vlucht van drie uur van Santa Teresa naar Los Angeles, die om vijf over half vier op LAX zou landen. Daar zou ik twee uur moeten wachten op een vlucht van United die me die avond om vijf over half elf plaatselijke tijd in Dallas zou brengen. Als Lyda om drie uur 's middags begon en een achturige werkdag had, zou ze om elf uur 's avonds naar huis gaan. Als ik ergens onderweg vertraging opliep, zou ik haar mislopen. Ik kon trouwens toch pas de volgende ochtend terug naar Santa Teresa, want het vliegveld hier gaat om elf uur 's avonds dicht. Ik zou hoe dan ook een nacht in Dallas moeten doorbrengen. De tickets waren al bijna tweehonderd dollar, en het vooruitzicht dat ik ook nog eens een hotelkamer zou moeten betalen maakte me een beetje draaierig. Natuurlijk kon ik altijd proberen een tukje te doen in zo'n plastic luchthavenstoel, maar dat idee trok me niet bepaald aan. Bovendien wist ik niet precies hoe ik zou kunnen eten van de tien dollar die ik in contanten bij me had. Waarschijnlijk was dat niet eens genoeg om het parkeerta-

rief voor mijn VW te betalen als ik weer terug kwam.
Mijn reisagent, Lupe, ademde geduldig in mijn oor terwijl ik deze bliksemsnelle berekeningen uitvoerde.
'Ik wil je niet opjagen, Millhone, maar je hebt nog ongeveer zes minuten om een besluit te nemen.'
Ik keek op mijn horloge. Het was dertien minuten voor half drie. Ik zei: 'Ach, verdorie, doe ook maar.'
'Komt voor elkaar,' zei ze.
Ze boekte de ticket. Ik betaalde met mijn United creditcard, waarvan ik net het saldo weer had aangevuld. Verdomme, dacht ik, maar het moest nu eenmaal gebeuren. Lupe zei dat de tickets klaar zouden liggen bij het ticketbureau. Ik hing op, liep het ziekenhuis uit en reed naar het vliegveld.
Mijn sjieke reisgarderobe bestond die dag uit mijn laarzen, mijn rafelige spijkerbroek en een katoenen marineblauwe coltrui met mouwen die niet eens zo erg uitgerekt waren. Achter in mijn auto lag een oud windjack. Gelukkig had ik dat de laatste tijd niet gebruikt om mijn voorruit mee schoon te vegen. Verder heb ik altijd een overnachtingstasje op de achterbank met een tandenborstel en schoon ondergoed.
Ik stapte twaalf minuten voor het vertrek aan boord van het vliegtuig en schoof mijn overnachtingstasje onder de stoel voor me. Het was een klein toestel en alle plaatsen waren bezet. Een gordijn vormde de scheiding tussen de passagiers en de cockpit. Aangezien ik op de tweede rij zat, kon ik het hele instrumentenpaneel zien, wat er nauwelijks gecompliceerder uitzag dan het dashboard van een nieuwe Peugeot. Toen de stewardess zag hoe nieuwsgierig ik was, trok ze het gordijn dicht, alsof de piloot en de co-piloot daar voorin iets uitvoerden dat wij maar beter niet konden weten.
De motoren klonken als grasmaaimachines en deden me vaag denken aan de zaterdagochtenden uit mijn jeugd als ik laat wakker werd en mijn tante het gras hoorde maaien. In dat lawaai was het intercomsysteem waardeloos. Ik kon geen woord verstaan van wat de piloot zei, maar ik vermoedde dat hij die verontrustende instructie oplas over wat ons te doen stond in het 'onwaarschijnlijke' geval van een noodlanding op het water. De meeste vliegtuigen storten

neer op het land en branden dan uit. Dit was gewoon weer iets nieuws om je zorgen over te maken. Ik geloofde er niets van dat mijn stoelkussen ook dienst kon doen als een soort reddingsvest. Het was al nauwelijks in staat om mijn achterwerk te beschermen tegen het met staal versterkte geraamte van de stoel zelf. Terwijl de stem van de piloot maar doordreunde, bekeek ik de plastic kaart met de kleurrijke afbeelding van het vliegtuig. Iemand had twee kruisjes op de kaart gezet. Bij het ene stond: 'U bevindt zich hier.' Bij het tweede kruisje op de vleugeltip stond: 'Toilet.'
De vlucht duurde maar vijfendertig minuten, dus de stewardess, gekleed in een soort padvindstersuniform, had geen tijd om ons namens de luchtvaartmaatschappij een drankje aan te bieden. In plaats daarvan deelde ze kleine pakjes Chiclets-kauwgom uit. Gedurende de vlucht probeerde ik mijn dichtgeklapte oren weer normaal te laten functioneren, waarbij ik ongetwijfeld de indruk wekte van iemand die leed aan een of andere chronische kaakkwaal.
Mijn United-vlucht vertrok precies op tijd. Ik zat in het niet-rokengedeelte waar ik onthaald werd op een duet van huilende baby's. De lunch bestond uit een stuk kuikenfilet op een kwak rijst, overgoten met iets dat op vloeibaar cement leek. Het nagerecht was een plak cake met suikerglazuur die naar koperpoets rook. Ik at alles op en stopte de in cellofaan verpakte crackers in mijn handtas. Wie weet wanneer ik pas weer iets te eten zou krijgen.
Toen we in Dallas geland waren, pakte ik mijn spullen bij elkaar en schuifelde naar de voorkant van het vliegtuig terwijl we wachtten tot de slurf tegen de deur geschoven werd. De stewardess liet ons gaan als een meute rumoerige schoolkinderen en ik liep op een sukkeldrafje de slurf door naar de pier. Tegen de tijd dat ik eindelijk in de hal was beland, was het vijf voor elf. De cocktailbar die ik zocht, bevond zich uitgerekend helemaal aan de andere kant van het luchthavencomplex. Ik zette het op een hollen, zoals altijd dankbaar dat ik mijn conditie op peil houd. Om twee minuten over elf ging ik de bar binnen. Lyda Case was vijf minuten geleden vertrokken en had pas in het weekend weer dienst. Ik zal maar niet herhalen wat ik zei.

HOOFDSTUK ELF

Ik liet Lyda's naam omroepen. Op weg naar de bar had ik een Reizigers Hulppost gezien. Achter een L-vormig bureau zat een vrouw van een jaar of vijftig met een bijzonder onaantrekkelijk gezicht: mager en hoekig, nauwelijks een kin en een oog dat scheef ten opzichte van het andere stond. Ze droeg een uniform van het Leger des Heils, compleet met koperen knopen en epauletten. Het was me niet helemaal duidelijk wat de opzet was. Misschien was het de bedoeling dat wanhopige moeders van zoekgeraakte kinderen en buitenlanders die behoefte hadden aan vlugzout naast praktische hulp ook geestelijke troost geboden zou worden. Ze stond op het punt om naar huis te gaan en in eerste instantie leek ze niet erg enthousiast over mijn verzoek om hulp.
'Ziet u,' zei ik, 'ik ben net uit Californië gearriveerd om een vrouw te spreken die nu op weg naar de uitgang is. Ik moet haar te pakken krijgen voordat ze het parkeerterrein bereikt, en ik heb geen idee welke uitgang ze neemt. Kan ik haar naam misschien laten omroepen?'
De vrouw staarde me met haar ene oog aan terwijl het andere een blik wierp op de lijst met telefoonnummers die met tape op haar bureaublad was geplakt. Zonder iets te zeggen pakte ze de telefoon en draaide een nummer. 'Hoe is de naam?' vroeg ze.
'Lyda Case.'
Ze herhaalde de naam en even later hoorde ik hoe Lyda Case via de intercom verzocht werd zich te melden bij de Reizigers Hulppost, Hal 2. Ik bedankte haar hartelijk, hoewel ze daar nauwelijks prijs op scheen te stellen. Ze pakte haar spullen op, wenste me goedenavond en vertrok.
Ik had geen flauw idee of Lyda Case zou komen opdagen. Misschien was ze het gebouw al uit op het moment dat haar naam omgeroepen werd. Of misschien was ze wel te moe en te chagrijnig om voor wat voor reden dan ook op haar schreden terug te keren. In een opwelling liep ik om het bu-

reau heen en ging zitten. Een man liep voorbij met een koffer op wieltjes die hij achter zich aan sleepte als een onwillige hond op weg naar de dierenarts. Ik keek op mijn horloge. Er waren al twaalf minuten verstreken. Ik keek in de bovenste bureaula, die niet afgesloten was. Potloden, blocnotes, buisjes aspirine, in cellofaan verpakte tissues, een Spaanse taalgids. Ik las de lijst met nuttige uitdrukkingen op de binnenkant van de omslag. '*Buenas tardes*,' mompelde ik in mezelf. '*Buenas noches*.' Goeie nachos. Ik stierf van de honger.
'Zoekt iemand mij? Ik hoorde mijn naam omroepen met het verzoek om hier naartoe te komen.' Het accent was Texaans. Lyda Case stond voor me met haar gewicht rustend op één heup. Geen make-up. Een gezicht vol sproeten en kroeshaar. Ze droeg een donkere broek en een bijpassend vest - zo'n neutraal barkeepersuniform dat je waarschijnlijk en gros bij de fabriek kunt bestellen. Haar naam stond in machinaal geborduurde letters op haar linkerborst. Ze had een met diamantjes afgezet horloge om haar pols en in haar rechterhand had ze een brandende sigaret, die ze op de grond liet vallen en uittrapte.
'Wat is er aan de hand, ben ik soms naar de verkeerde plek gekomen?' Midden dertig. Expressief gezicht. Kleine, rechte neus en een scherpe, uitdagende kin. Haar glimlach onthulde scheve hoektanden en lege plekken waar haar eerste kiezen hadden moeten zitten. Haar ouders hadden zich voor *haar* orthodontie nooit in de schulden gestoken.
Ik stond op en stak mijn hand uit. 'Dag mevrouw Case. Hoe maakt u het?'
Ze liet haar hand heel even in de mijne rusten. Ze had blauwe ogen, het onnatuurlijke blauw van contactlenzen. Ik dacht iets van wantrouwen in haar blik te zien. 'Ik geloof niet dat ik u ken.'
'Ik heb u vanuit Californië gebeld. U hebt twee keer de hoorn neergelegd.'
De glimlach verdween. 'Ik dacht dat ik toch wel duidelijk had laten merken dat ik niet geïnteresseerd was. Ik hoop niet dat u speciaal voor mij dat hele eind bent komen vliegen.'

'Eerlijk gezegd wel. U had uw dienst er net opzitten toen ik bij de bar kwam. Ik hoop dat u een paar minuten tijd voor me hebt. Kunnen we ergens praten?'
'Volgens mij zijn we daar nu al mee bezig,' zei ze vinnig.
'Ik bedoelde ergens onder vier ogen.'
'Waarover?'
'Ik ben nieuwsgierig naar de dood van uw man.'
Ze staarde me aan. 'Bent u soms journaliste of zo?'
'Privé-detective.'
'O ja, dat is waar ook. Dat hebt u door de telefoon al gezegd. Voor wie werkt u?'
'Voor mezelf, momenteel. Daarvóór voor een verzekeringsmaatschappij. Ik was bezig met een onderzoek naar een brand in een magazijn van Wood/Warren toen Hughs naam opdook. Ik dacht dat u me misschien het een en ander zou kunnen vertellen over de omstandigheden waaronder hij gestorven is.'
Ik kon zien hoe ze een innerlijke strijd voerde, in verleiding gebracht door het onderwerp. Het was waarschijnlijk het soort verhaal dat we onszelf steeds weer opnieuw vertellen als we 's nachts niet in slaap kunnen komen. Op een of andere manier stelde ik me voor dat ze grieven koesterde die ze in het holst van de nacht eindeloos voor zichzelf herhaalde. Zo tussen twee en drie uur 's nachts komt er iets in de hersenen tot leven en meestal is het in een spraakzame bui.
'Wat heeft Hugh met dat onderzoek te maken?'
'Misschien niets. Ik heb geen idee. Ik vond het vreemd dat zijn laboratoriumwerk verdwenen was.'
'Waarom zou u zich daar zorgen over maken? Niemand anders deed dat.'
'Dan wordt het onderhand wel eens tijd, vindt u ook niet?'
Ze wierp me een lange, onderzoekende blik toe. De wrevel had plaatsgemaakt voor simpel ongeduld. 'Er is een bar even verderop. Er wacht iemand op me, dus ik moet eerst even naar huis bellen. Een half uur, meer krijgt u niet. Ik heb me vandaag het lazerus gewerkt en ik kan haast niet meer op mijn benen staan.' Ze beende weg en ik volgde haar op een sukkeldrafje.
We gingen zitten aan een tafeltje bij het raam. De nachtelij-

ke hemel werd aan het oog onttrokken door een laaghangend wolkendek. Ik realiseerde me verbaasd dat het regende. Druppels sloegen tegen de ruit en werden door een gierende wind zijwaarts geblazen. Het teermacadam glansde als zwart zeildoek dat de verlichting van start- en landingsbanen weerspiegelde. Drie DC10's stonden naast elkaar aan hun respectieve pieren. Het krioelde van de sleeptractors, wagens van cateringbedrijven, tankwagens en mannen in gele oliejekkers. Een bagagetrailer reed met flinke snelheid voorbij met een sliert karren achter zich aan die volgestouwd waren met koffers en tassen. Terwijl ik zat te kijken, viel er een canvas weekendtas van een van de karren op de grond, maar niemand scheen iets te merken. Iemand zou vanavond tot zijn ergernis een uurtje zoet zijn met het invullen van 'Vermiste Bagage'-formulieren.
Terwijl Lyda verdween om naar huis te bellen, bestelde ik een mineraalwater voor mezelf en voor haar de Bloody Mary waar ze om gevraagd had. Ze bleef geruime tijd weg. De serveerster bracht onze drankjes, samen met een blikje zoute krakelingen. 'Lyda wilde iets te knabbelen hebben, dus heb ik deze maar meegenomen,' zei ze.
'Kunnen we het even op laten schrijven?'
'Natuurlijk. Ik ben Elsie. Roep maar als u nog iets nodig hebt.'
Het grondverkeer was nu grotendeels verdwenen en ik zag hoe de slurf zich losmaakte van het vliegtuig dat het dichtst bij ons stond. Op de startbaan verderop taxiede een L-1011 voorbij met over de lengte een streep van verlichte raampjes. De bar begon langzamerhand leeg te lopen, maar de tabaksrook hing nog altijd in de lucht als een doffe veeg op een foto. Ik hoorde hoge hakken in de richting van mijn tafeltje tikken, en daar was Lyda weer. Ze had haar vest uitgetrokken en de knoopjes van haar witte blouse losgemaakt tot een punt precies tussen haar borsten. Haar borst was zo bezaaid met sproeten dat het bijna leek alsof ze door de zon gebruind was.
'Sorry dat het zo lang duurde,' zei ze. 'Het meisje met wie ik mijn flat deel zit midden in een zenuwcrisis, dat denkt ze althans.' Ze gebruikte haar selderijstengel om de bleke

scheut wodka door het gekruide tomatensap te roeren. Daarna wipte ze het deksel van het blikje krakelingen.
'Hier, hou je hand op en neem er ook een paar,' zei ze. Ik hield mijn hand op en ze schudde er een flinke hoeveelheid kleine krakelingetjes in die de vorm hadden van Chinese pagodes, afgezet met korrels zeezout. Haar vijandigheid was verdwenen. Dat had ik wel vaker meegemaakt, dat het wantrouwen van mensen aanvankelijk de vorm van agressiviteit aanneemt, en dat hun weerstand net een muur is waarin dan plotseling een opening verschijnt. Ze had besloten om met me te praten en ik veronderstel dat ze tot de conclusie gekomen was dat het geen zin had om onbeschoft te doen. En bovendien trakteerde ik. Hoewel, met tien dollar op zak kon ik me niet veel meer dan een half uur met drankjes permitteren.
Ze had een poederdoos te voorschijn gehaald en bekeek haar make-up. Ze trok een grimas tegen het spiegeltje. 'God, wat zie ik eruit.' Ze zette haar handtas op het tafeltje en haalde er na enig zoeken een toilettasje uit. Ze ritste het tasje open en haalde er verscheidene zaken uit te voorschijn, waarna ze zichzelf voor mijn ogen begon te transformeren. Ze deed wat vloeibare make-up op haar gezicht en wreef die uit, waardoor sproeten, rimpels en vlekken als sneeuw voor de zon verdwenen. Met een eyeliner bracht ze lijntjes aan op haar oogleden, waarna ze mascara op haar wimpers deed. Haar ogen kwamen ineens veel beter uit. Ze deed wat rouge op haar jukbeenderen, omlijnde de contouren van haar mond met donkerrode lipstick en gaf haar lippen een iets lichtere tint. Het nam nog geen twee minuten in beslag, maar toen ze me weer aankeek waren de scherpe kantjes verdwenen en had ze de glamour van een advertentie in een modeblad. 'Wat vind je ervan?'
'Ik sta versteld.'
'Lieve kind, ik zou in een mum van tijd een ander mens van je kunnen maken. Je zou echt wat meer aandacht aan je uiterlijk moeten besteden. Dat haar van je ziet eruit als een hondekont.'
Ik lachte. 'We kunnen maar beter terzake komen als ik maar een half uur krijg.'

Ze maakte een wegwerpgebaar. 'Maak je daar maar geen zorgen over. Ik ben van gedachten veranderd. Betsy zit met een overdosis en ik heb nog geen zin om naar huis te gaan.'
'Heeft je medebewoonster een overdosis genomen?'
'Dat doet ze voortdurend, maar ze doet het nooit eens afdoende. Volgens mij heeft ze een brochure van het Dollekervel Genootschap en neemt ze de helft van wat ervoor nodig is om de zaak naar behoren aan te pakken. En als ik dan thuiskom, zit ik ermee opgescheept. Ik baal ervan na middernacht ziekenbroeders over de vloer te hebben. Die zijn allemaal zesentwintig en zo knap dat je er beroerd van wordt. Meestal maakt ze dan later met een van hen een afspraakje. Ze beweert dat dat de enige manier is om zorgzame mannen te ontmoeten.'
Ze sloeg de helft van haar Bloody Mary achterover. 'Vertel me eens over Hugh,' zei ik.
Ze haalde een pakje kauwgom te voorschijn en bood mij er een aan. Toen ik het hoofd schudde, nam ze zelf een reepje en stak het dubbelgevouwen in haar mond. Daarna stak ze een sigaret op. Ik probeerde me de combinatie voor te stellen...pepermuntsmaak en tabaksrook. Alleen de gedachte al stond me tegen. Ze maakte een propje van de verpakking van het reepje kauwgom en liet het in de asbak vallen.
'Ik was eigenlijk nog maar een kind toen we elkaar ontmoetten. Negentien. Ik stond achter de bar. Op de dag dat ik achttien werd nam ik de Greyhoundbus naar Californië en ging naar de opleiding voor barpersoneel in Los Angeles. Kostte me zeshonderd dollar. Weggegooid geld, volgens mij. Goed, ik heb er geleerd om drankjes te mixen, maar dat had ik waarschijnlijk ook wel kunnen leren uit een boekje. Nou ja, ik kreeg die baan op LAX en sinds die tijd heb ik altijd in luchthavenbars gewerkt. Vraag me niet waarom. Ik ben er op de een of andere manier gewoon blijven hangen. Op een dag kwam Hugh binnen en we raakten aan de praat en voor ik het wist waren we verliefd en trouwden we. Hij was negenendertig en ik pas negentien, en we zijn zestien jaar samen geweest. Ik kende hem. Hij heeft geen zelfmoord gepleegd. Dat zou hij mij niet aandoen.'
'Hoe weet je dat zo zeker?'

'Hoe weet je zeker dat de zon elke dag in het oosten opkomt? Dat is nou eenmaal zo, punt uit, daar kan je gewoon van op aan, net zoals ik van hem op aan kon.'
'Je denkt dat iemand hem vermoord heeft?'
'Natuurlijk. Lance Wood heeft het gedaan, dat is zo zeker als twee keer twee vier is, maar dat zal hij in nog geen miljoen jaar bekennen en zijn familie ook niet. Heb je al met ze gepraat?'
'Met een paar,' zei ik. 'Ik hoorde gisteren pas voor het eerst over Hughs dood.'
'Ik heb altijd gedacht dat ze de politie hebben omgekocht om het stil te houden. Ze bulken van het geld en ze kennen iedereen in de stad. De zaak is gewoon in de doofpot gestopt.'
'Lyda, je hebt het over fatsoenlijke mensen. Die zouden nooit een moord tolereren en ze zouden Lance beslist niet de hand boven het hoofd houden als ze dachten dat hij er iets mee te maken had.'
'Jeetje, als je dat gelooft ben je nog dommer dan ik. Ik zeg je dat het moord was. Waarom ben je helemaal hierheen komen vliegen als je dat zelf ook niet dacht?'
'Ik weet niet wat ik ervan moet denken. Daarom vraag ik het aan jou.'
'Nou, het was geen zelfmoord. Hij was niet depressief. Hij was niet het type om zelfmoord te plegen. Waarom zou hij zoiets doen? Dat slaat nergens op. Ze kenden hem. Ze wisten wat voor soort man hij was.'
Ik keek haar aandachtig aan. 'Ik heb gehoord dat hij van plan was ontslag te nemen en een eigen bedrijf te beginnen.'
'Daar praatte hij wel eens over. Hij praatte over zoveel dingen. Hij had vijftien jaar voor Woody gewerkt. Hugh was ontzettend loyaal, maar iedereen wist dat de oude baas het bedrijf aan Lance wilde nalaten. Hij zei dat Lance een sukkel was en dat hij niet mee wilde maken hoe hij de zaak naar de knoppen hielp.'
'Hebben die twee samen ruzie gehad?'
'Dat weet ik niet zeker. Ik weet dat hij zijn ontslag indiende en dat Woody hem dat weer uit zijn hoofd praatte. Hij had

net ingeschreven op een groot regeringscontract en hij had Hugh nodig. Ik denk dat Hugh gezegd heeft dat hij zou blijven totdat bekend was of Woody al dan niet dat contract zou krijgen. Twee dagen later kwam ik thuis van mijn werk, deed de garagedeur open, en daar vond ik hem. Het leek alsof hij in de auto in slaap gevallen was, maar zijn huid zag kersrood. Dat vergeet ik nooit van mijn leven meer.'
'Het kan geen ongeluk zijn geweest?'
Ze boog zich met een ernstig gezicht naar voren. 'Ik heb het al eerder gezegd en ik zeg het nòg eens. Hugh zou geen zelfmoord plegen. Daar had hij geen enkele reden toe en hij was ook niet depressief.'
'Hoe weet je of hij niet iets verzweeg?'
'Nou ja, zoiets kun je natuurlijk nooit zeker weten.'
'Het lijkt me zo'n onwaarschijnlijk idee. Lance had op dat tijdstip nog niet eens de leiding, en hij zou toch geen werknemer vermoorden alleen omdat die van baan wilde veranderen. Dat is belachelijk.'
Lyda haalde haar schouders op, niet van haar stuk gebracht door mijn scepsis. 'Misschien maakte Lance zich zorgen dat Hugh klandizie mee zou nemen als hij vertrok.'
'Nou ja, afgezien van het feit dat het nog niet zover was, lijkt het me nog steeds uiterst onwaarschijnlijk.'
Ze reageerde enigszins geïrriteerd. 'Je hebt me naar mijn mening gevraagd. Ik vertel je wat ik denk dat er gebeurd is.' 'Ik begrijp best dat jij dat gelooft, maar er is toch meer voor nodig om mij te overtuigen. Als Hugh vermoord is, had de dader toch ook iemand anders kunnen zijn?'
'Natuurlijk. Ik geloof dat het Lance was, maar ik kan er geen eed op doen. Ik heb in elk geval geen enkel bewijs. Soms denk ik wel eens dat het geen zin heeft om me er nog druk over te maken. Het is nou eenmaal gebeurd, dus wat doet het er allemaal nog toe?'
Ik stapte over op een ander onderwerp. 'Waarom heb je hem zo snel laten cremeren?'
Ze staarde me aan. 'Denk je soms dat *ik* er de hand in heb gehad?'
'Ik stel alleen maar vragen. Wat weet ik er verder nou van?'

'Hij wilde zelf gecremeerd worden. Het was niet eens mijn idee. Hij was al twee dagen dood. De lijkschouwer gaf het lichaam vrij en de begrafenisondernemer stelde voor dat het maar beter zo snel mogelijk kon gebeuren, dus ik heb zijn advies opgevolgd. Je kunt het aan hem vragen als je mij niet gelooft,' zei ze. 'Ze hebben Hugh bedwelmd. Ik durf te wedden dat ze het op die manier gedaan hebben. Ze hebben zijn laboratoriumwerk gestolen zodat niemand de testresultaten te zien zou krijgen.'
'Misschien was hij dronken,' opperde ik. 'Misschien is hij de garage ingereden en daar in slaap gevallen.'
Ze schudde het hoofd. 'Hij dronk niet. Daar was hij mee gestopt.'
'Had hij een alcoholprobleem?'
'Vroeger wel,' zei ze. 'We hebben elkaar in een bar *ontmoet*. Om twee uur 's middags, op een doordeweekse dag. Hij was niet eens op reis. Hij vond het gewoon leuk om naar de vliegtuigen te komen kijken, zei hij. Toen had ik het al door moeten hebben, maar je weet hoe het gaat als je op iemand verliefd raakt. Je ziet alleen maar wat je wilt zien. Het heeft jaren geduurd voordat ik door had hoe erg het met hem gesteld was. Uiteindelijk heb ik gezegd dat ik bij hem weg zou gaan als hij zo doorging. Toen heeft hij zich aangemeld voor zo'n programma...niet van de AA, maar iets soortgelijks. Hij raakte van de drank af en dat is zo gebleven.' 'Is er een mogelijkheid dat hij toch weer begonnen is? Dat komt wel vaker voor.'
'Niet zolang hij Antabuse slikte. Hij zou zo ziek als een hond zijn geworden.'
'Weet je zeker dat hij dat spul innam?'
'Ik gaf het hem altijd zelf. Het was een soort spelletje voor ons. Elke ochtend bij zijn sinaasappelsap. Hij hield zijn hand op en ik gaf hem zijn pil en keek hoe hij hem doorslikte. Hij wilde dat ik zag dat hij de boel niet belazerde. Op de dag dat hij ophield met drinken zwoer hij dat hij nooit meer een druppel zou aanraken.'
'Hoeveel mensen wisten van die Antabuse?'
'Dat weet ik niet. Hij heeft er nooit veel ophef over gemaakt. Als de mensen om hem heen dronken, zei hij gewoon: "Nee, dank je".'

'Vertel me eens wat er gebeurd is in de week dat hij stierf.'
'Niets bijzonders. Het was volgens mij een doodgewone week. Hij had een gesprek met Woody. Twee dagen later was hij dood. Na de begrafenis heb ik al mijn spullen in een bestelwagen geladen en ben terug naar huis gereden. En daar ben ik al die tijd gebleven.'
'En bij zijn spullen zat niets dat enig licht op de zaak zou kunnen werpen? Geen brief of zoiets?'
Ze schudde het hoofd. 'Ik heb zijn bureau doorzocht op de dag dat hij stierf, en ik ben niets tegengekomen.'

HOOFDSTUK TWAALF

De retourvlucht verliep rustig. Ik had anderhalf uur met Lyda gepraat en de rest van de nacht doorgebracht in de hal van de luchthaven met zijn rode vloerbedekking, hoge glazen plafond, echte bomen en zowaar een vogel die onophoudelijk tsjilpend heen en weer vloog. Het had wel iets weg van kamperen, alleen moest ik de hele tijd zitten en had ik geen worstjes om te roosteren. Ik maakte aantekeningen van mijn gesprek met Lyda, die ik thuis zou uitwerken voor mijn archief. Ik was geneigd te geloven dat Hugh Case vermoord was, ook al had ik geen idee hoe, waarom of door wie. Ook leek het me niet onwaarschijnlijk dat zijn dood in verband stond met de gebeurtenissen van de laatste tijd bij Wood/Warren, hoewel ik geen idee had wat dat verband zou kunnen zijn. Lyda had beloofd om contact op te nemen als haar nog iets van belang te binnen mocht schieten. Alles bij elkaar was het geen onvruchtbaar uitstapje geweest. Het had meer vragen dan antwoorden opgeleverd, maar dat vond ik geen probleem. Zolang er vragen op te lossen zijn, kan ik aan het werk. De frustratie begint pas als alle sporen dood blijken te lopen en je geen enkel aanknopingspunt meer hebt. In het geval van Hugh Case had ik het gevoel dat ik zojuist een van de hoekstukjes van een legpuzzel had gevonden. Ik had nog geen flauw idee hoe het totale beeld eruit zou zien, maar ik had tenminste een begin.

Om half vijf 's ochtends stapte ik aan boord van het vliegtuig en om kwart voor zes landdden we op LAX. Ik moest tot zeven uur wachten voor ik verder kon vliegen naar Santa Teresa, en tegen de tijd dat we daar landdden kon ik nauwelijks meer op mijn benen staan. Een uur later ging ik mijn appartement binnen, controleerde of er telefonische boodschappen waren (geen), trok mijn laarzen uit en liet me volledig gekleed op bed vallen.

Om ongeveer twee minuten over negen werd er op mijn

deur geklopt. Duizelig van de slaap kwam ik overeind en schuifelde wankelend naar de deur, mijn dekbed achter me aantrekkend als de sleep van een bruidsjapon. Ik had een vieze smaak in mijn mond en mijn haar stond recht overeind als dat van een punker, alleen minder schoon. Ik loerde door het kijkgaatje, niet van plan me te laten verrassen door een of andere matineuze aanrander. Op de stoep stond mijn tweede ex-echtgenoot, Daniel Wade.
'Shit,' mompelde ik. Ik liet mijn hoofd even tegen de deur rusten en keek toen nog eens. Het enige dat ik kon zien was zijn gezicht *en profil*, en het blonde haar dat zijn hoofd als een aureool omkranste. Daniel Wade is misschien wel de mooiste man die ik ooit gezien heb - een slecht teken. Mooie mannen zijn meestal òf homoseksueel òf onmogelijk narcistisch. (Sorry voor de generalisatie, mensen, maar het is nu eenmaal zo.) Ik heb niets tegen een knap gezicht of een interessant gezicht of een gezicht met karakter, maar die gebeeldhouwde perfectie van het zijne...die rechte, goed geproportioneerde neus, de hoge jukbeenderen, de vastberaden kaaklijn, de krachtige kin. Zijn haar was door de zon gebleekt en het opvallend heldere blauw van zijn ogen werd nog geaccentueerd door zijn donkere wimpers. Hij had een spierwit, regelmatig gebit en een enigszins scheef glimlachje. Zien jullie het zo'n beetje voor je, mensen?
Ik deed de deur open. 'Ja?'
'Hallo.'
'Dag.' Ik staarde hem onvriendelijk aan, in de hoop dat hij zou verdwijnen. Hij is lang en slank en hij kan alles eten zonder aan te komen. Hij stond daar in een verschoten spijkerbroek en een donkerrood sweatshirt met omhoog geschoven mouwen. De zon en de wind hadden zijn huid een gouden glans gegeven. Gewoon weer zo'n saaie Californische jonge god. Het haar op zijn armen was bijna wit. Hij had zijn handen in zijn zakken, wat maar goed is ook. Hij is jazzpianist en hij heeft lange, lenige vingers. Ik was eerst verliefd op zijn handen geworden en daarna pas op de rest.
'Ik heb in Florida gezeten.' Mooie stem ook...voor het geval zijn overige kwaliteiten nog niet opwindend genoeg zijn. Hij zingt als een engel en bespeelt zes instrumenten.
'Waarom ben je terug gekomen?'

'Ik weet het niet. Heimwee, denk ik. Een vriend van me ging deze kant op, en dus ben ik met hem meegereden. Heb ik je wakker gemaakt?'
'Nee, ik loop er altijd zo bij.'
Een flauw glimlachje hier, perfect getimed. Zijn manier van doen was enigszins aarzelend, wat voor hem ongebruikelijk was. Hij nam me aandachtig op, op zoek (misschien) naar het meisje dat ik vroeger was.
'Wat zit je haar leuk,' zei hij.
'Goh, wat een enige conversatie. Het jouwe ook.'
'Ik geloof dat het tijdstip wat ongelukkig gekozen is. Het spijt me.'
'Eh, Daniel, zouden we misschien terzake kunnen komen? Ik heb hooguit een uur geslapen en ik voel me geradbraakt.'
Het was duidelijk dat hij dit hele gesprek van tevoren gerepeteerd had, maar hij had zich waarschijnlijk een tederder reactie voorgesteld. 'Ik wilde je zeggen dat ik clean ben,' zei hij. 'Al een jaar lang. Geen drugs, geen drank. Het is niet gemakkelijk geweest, maar ik ben er echt weer helemaal boven op.'
'Fantastisch. Ik ben dolenthousiast. Het zou verdomme wel eens tijd worden ook.'
'Zou je het sarcasme misschien achterwege kunnen laten?'
'Zo praat ik altijd sinds je er vandoor gegaan bent. Het maakt me echt populair bij de mannen.'
Hij wipte van de ene voet op de andere en keek langs me heen naar de tuin. 'Ik neem aan dat iemand bij jou geen tweede kans krijgt.'
Ik nam niet de moeite om daarop te reageren.
Hij gooide het over een andere boeg. 'Hoor eens. Ik heb een therapeute, een zekere Elise. Zij is degene die me aangeraden heeft om zoveel mogelijk in het reine te komen met bepaalde zaken uit het verleden. Ze dacht dat jij er misschien ook baat bij zou kunnen hebben.'
'O, tjonge. Fantastisch. Als je me haar adres geeft, zal ik haar een bedankbriefje schrijven.'
'Kan ik binnenkomen?'
'Jezus Christus, Daniel, natuurlijk niet! Snap je het nou

echt niet? Ik heb je acht jaar lang niet gezien en nu blijkt dat dat nog niet lang genoeg is.'
'Hoe kun je na al die tijd nog zo vijandig zijn? Ik koester toch ook geen wrok tegen jou?'
'Waarom zou je ook? Ik heb jou niets misdaan!'
Er trok een gekrenkte blik over zijn gezicht en zijn verbijstering leek oprecht. Er zijn van die mensen die je kapot maken en dan volkomen perplex staan als ze merken hoe diep de pijn zit. Hij verplaatste zijn gewicht op zijn andere voet. Dit liep blijkbaar niet zoals hij het zich had voorgesteld. Hij stak zijn hand uit om een houtsplinter uit het deurkozijn boven mijn hoofd te trekken. 'Ik had niet gedacht dat je zo verbitterd zou zijn. Dat is niets voor jou, Kinsey. We hebben toch een paar fijne jaren samen gehad.'
'Jaar. Enkelvoud. Elf maanden en zes dagen, om precies te zijn. Misschien wil je je hand even weghalen voor ik de deur dicht smijt?'
Hij haalde zijn hand weg.
Ik smeet de deur dicht en ging terug naar bed.
Na een paar minuten hoorde ik het hek piepen.
Ik bleef nog een tijdje liggen woelen, maar het was duidelijk dat er van slapen toch niets meer zou komen. Ik stond op en poetste mijn tanden, nam een douche, waste mijn haar, schoor mijn benen. Vroeger bedacht ik lange monologen waarin ik al mijn woede en verdriet uitstortte. Nu wilde ik dat hij weer terug zou komen zodat ik het nog eens dunnetjes over kon doen. Zo gaat dat als je afgedankt wordt. Je blijft zitten met emotionele problemen die je op allerlei andere mensen afwentelt. Het is niet alleen het feit dat je je verraden voelt, maar het soort mens dat je wordt...meestal niet erg sympathiek. Jonah had mijn venijnige buien overleefd. Hij scheen te begrijpen dat het niets met hem te maken had. Hij was zelf zo spijkerhard dat een beetje onhebbelijk gedrag af en toe hem niets deed. En wat mezelf betrof, ik had echt gedacht dat ik met het verleden afgerekend had, totdat het plotseling voor mijn deur stond.
Ik belde Olive Kohler en maakte een afspraak voor later op de dag. Daarna ging ik aan mijn bureautje zitten en tikte mijn aantekeningen uit. Om twaalf uur besloot ik om bood-

schappen te gaan doen. Daniel zat in een auto die vlak achter de mijne stond geparkeerd. Hij zat onderuit gezakt op de voorbank, zijn laarzen op het dashboard, een cowboyhoed over zijn gezicht getrokken. De auto was een tien jaar oude donkerblauwe Pinto, gedeukt, roestig en zonder wieldoppen. De schaapswollen stoelhoezen hadden meer weg van een luizige hondevacht. Een sticker op de bumper gaf aan dat de wagen gehuurd was bij Rent-A-Ruin.
Daniel moest het hek hebben horen piepen toen ik naar buiten kwam. Hij draaide zijn hoofd om terwijl hij zijn hoed met een traag gebaar naar achteren schoof. Hij heeft er een handje van om soms zo'n onverschillige houding voor te wenden.
Ik maakte mijn portier open, stapte in, startte de motor en reed weg. De rest van de dag vertoonde ik me niet meer in de buurt van mijn appartement. Ik herinner me nauwelijks meer wat ik die middag gedaan heb. Voornamelijk doelloos rondgereden terwijl ik er de pest over in had dat ik niet alleen niet over een kantoor kon beschikken, maar bovendien verbannen was uit mijn eigen huis.
Om vijf uur vond ik met behulp van een stratengids het huis van de Kohlers aan een achteraf gelegen lommerrijk laantje in Montebello. Het perceel werd aan het oog onttrokken door een drie meter hoge heg en de oprijlaan was afgesloten door een elektronisch bediend smeedijzeren hek. Ik parkeerde in de laan en ging naar binnen door een houten poort in de heg. Het huis was in Tudorstijl gebouwd, met twee verdiepingen. Het had een scherp hellend spanen dak, een vakwerk puntgevel en een fraai patroon van verticale balken over de hele breedte. Het lag op een flinke lap grond overschaduwd door platanen en eucalyptusbomen. Overal scheen donkergroene klimop te groeien. Ik zag een tuinman, afgestudeerd aan de Walt Disney-school voor landschapsonderhoud, bezig met het snoeien van heesters in dierenvormen.
De krant lag op de deurmat. Ik pakte hem op en drukte toen op de bel. Ik verwachtte een dienstmeisje, maar Olive deed zelf de deur open in een grijs satijnen peignoir en laaggehakte satijnen muiltjes. Die had ik voornamelijk ge-

zien in films met Joan Crawford en het leek me een hele kunst om er op te lopen. Even zag ik mezelf door mijn appartement klossen op zulke muiltjes, compleet met sigarettepijpje en watergolf. Ik zou ook mijn wenkbrauwen tot fraaie spitsboogjes kunnen laten epileren.
'Hallo, Kinsey. Kom binnen. Terry kan elk moment thuiskomen. Ik was vergeten dat we om zes uur op een cocktailparty verwacht worden.' Ze stapte opzij en ik ging naar binnen.
'We kunnen wel een andere keer praten, als je dat beter uitkomt,' zei ik. Ik gaf haar de krant.
'Dank je. Nee, nee. Het is prima zo. Het is pas over een uur en het is vlakbij. Ik moet me nog omkleden, maar ondertussen kunnen we praten.' Ze wierp een vluchtige blik op de krant en gooide hem toen op het haltafeltje naast een stapel post.
Ze klepperde over de donkere haltegels naar de achterkant van het huis. Olive was slank en blond, met dik, recht afgeknipt schouderlang haar. Ik vroeg me af of Ash de enige zus was met het haar nog in de oorspronkelijke kleur. Olives ogen waren lichtblauw, met zwarte wimpers, en haar huid had een gouden teint. Ze was ongeveer drieëndertig, niet zo broos als Ebony, maar zonder de warmte van Ash. Ze praatte over haar schouder tegen me.
'Ik heb je in geen tien jaar gezien. Wat heb je in die tijd uitgevoerd?'
'Mijn eigen bureau opgezet,' zei ik.
'Getrouwd? Kinderen?'
'Twee keer nee. Heb jij kinderen?'
Ze lachte. 'God zij dank niet.'
We betraden een ruime slaapkamer met balkenplafond, grote stenen open haard, openslaande deuren naar een ommuurde patio. Ik zag een rond tweepersoons bad, omringd door varens. Een witte Perzische kat lag opgerold op een sofa, zijn kop verborgen in de pluim van zijn staart.
De vloer van de slaapkamer was van glanzend teakhout met hier en daar een kleedje van dikke witte wol die waarschijnlijk van yaks afkomstig was. De hele wand achter het bed was bespiegeld en even flitste er een beeld van Terry

Kohlers seksuele verrichtingen door mijn hoofd. Waar staarde Olive naar, vroeg ik me af, terwijl hij zichzelf gadesloeg? Ik keek naar het plafond om te zien of daar misschien een poster bevestigd was, net als in de spreekkamer van mijn gynaecoloog: 'Glimlach. Dat geeft je gezicht iets te doen!' Helemaal niet grappig.
Ik liet me in een fauteuil zakken en keek toe terwijl Olive een wandkast inging ter grootte van een dubbele garage. Snel begon ze een rek met avondkleding te doorzoeken, waarbij ze kledingstukken met lovertjes, lange organza japonnen en met kralen versierde jasjes met lange, bijpassende rokken niet eens een blik waardig keurde. Ik kon een verzameling schoenen zien in doorzichtige plastic dozen op een plank bovenin, en aan de ene kant van het rek verscheidene bontjassen van diverse lengtes en bontsoorten. Ze koos een cocktailjurk met dunne schouderbandjes die tot op haar knieën viel en stapte de slaapkamer weer in waar ze zichzelf aandachtig in de spiegel bekeek. De jurk was avocadogroen en gaf haar huid een vale tint.
'Wat vind jij ervan?' zei ze, haar blik nog altijd gericht op haar spiegelbeeld.
'Maakt je te groen.'
Ze bekeek zichzelf kritisch, haar ogen half dichtgeknepen. 'Je hebt gelijk. Hier. Hou hem maar. Ik ben er toch al nooit zo weg van geweest.' Ze gooide de jurk op het bed.
'Ik draag zulke kleren niet,' zei ik, niet op mijn gemak.
'Neem hem nou maar. We geven op Oudejaarsavond een feestje en dan kun je hem dragen.' Ze haalde een zwartzijden jurk met rechte halslijn te voorschijn. Ze trok hem aan en trok de rits op de rug dicht met één enkele beweging die alles op zijn plaats deed vallen. Ze was zo slank dat ik niet begreep hoe die bolvormige borsten in vredesnaam van haar konden zijn. Het leek wel alsof ze een stel softballen in haar borst had laten inplanten. Als zo'n vrouw je omhelst laat ze gegarandeerd deuken achter.
Ze ging voor de toilettafel zitten en trok een zwarte panty aan, stak daarna haar voeten in schoentjes met tien centimeter hoge naaldhakken. Ze zag er fantastisch uit, een en al welving en smetteloze huid en lichtblond haar dat langs

haar blote schouders streek. Ze zocht in haar juwelenkistje en koos diamanten oorknopjes in de vorm van tere zilveren takjes waaraan fonkelend fruit hing.
Ze liep weer naar de wandkast en kwam terug in een zachte witte bontjas van dezelfde lengte als de jurk. Toen ze de jas om zich heen trok, zag ze eruit als een exhibitioniste in poolvos.
Ze glimlachte flauwtjes toen ze mijn blik opving. 'Ik weet wat je denkt, liefje, maar ze waren al dood toen ik bij de bontwerker kwam. Of ik die jas nou wel of niet kocht, maakte voor die beesten geen enkel verschil.'
'Als vrouwen ze niet zouden dragen, zouden ze ook niet gedood worden,' zei ik.
'Ach, onzin. Hou jezelf nou niet voor de gek. In het wild worden deze dieren dagelijks aan flarden gescheurd. Waarom zou je de schoonheid niet bewaren, als een kunststuk? We leven nou eenmaal in een wrede wereld. En spreek me niet tegen,' zei ze vastberaden. Ze priemde haar wijsvinger in mijn richting. 'Je bent gekomen om te praten, praat dan ook.' Ze liet de jas van zich afglijden en gooide hem op het bed, ging toen weer op het bankje voor de toilettafel zitten en sloeg haar benen over elkaar.
Ik zei: 'Wat weet je van de situatie bij Wood/Warren?'
Ze maakte een ongeduldig gebaar. 'Dat zakengedoe is zo oninteressant. Dat gedeelte van de krant gebruik ik voor de kattebak.'
'Ben je niet betrokken bij de onenigheid in de familie?'
'Wat voor onenigheid? Je bedoelt met Lance? Ik heb geen geld in de zaak zitten. Hij en Ebony zijn het niet met elkaar eens. Zij wil dat ik met haar mee stem. Volgens haar is dat in mijn voordeel. Lance zal natuurlijk een rolberoerte krijgen, maar wat zou dat? Hij heeft zijn kans gehad.'
'Kies je haar kant?'
'Wie weet? Waarschijnlijk wel. Ze is slimmer dan hij en het wordt tijd dat er nieuw bloed in de zaak komt. Hij loopt het grootste deel van de tijd met zijn hoofd in de wolken.'
'Hoe bedoel je?'
'Laat me je iets over mijn broer vertellen, liefje. Hij is een geboren verkoper. Hij kan ongelooflijk charmant zijn, als

het hem zo uitkomt. Hij is enthousiast over alles wat hem interesseert, wat niet bepaald veel is. Hij heeft geen hoofd voor cijfers. Absoluut niet. Hij heeft er de pest aan om op kantoor te zitten en hij kan absoluut niet tegen sleur. Hij is goed in het opzetten van nieuwe projecten maar als het nieuwtje eraf is, interesseert het hem verder niet meer. Einde uitzending.'
'Heb je dat zelf geconstateerd of beweert Ebony dat?'
'Ik word dagelijks op de hoogte gehouden van wat er op de zaak gebeurt. Terry is een workaholic en hij praat voornamelijk over het werk.'
'Hoe kunnen Lance en hij met elkaar overweg?'
'Ze liggen voortdurend met elkaar overhoop. Terry is geobsedeerd door zijn werk. Hij kan het niet hebben als mensen de zaak verkloten. Excuseer de wetenschappelijke term. Lance heeft een slecht beoordelingsvermogen, dat weet iedereen. Als je daaraan mocht twijfelen, moet je maar eens kennis maken met de vrouw waarmee hij getrouwd is.'
'Hoe zit het met de overige familieleden? Kunnen die hem niet wegstemmen?'
'Nee. Wij bezitten met zijn allen maar negenenveertig procent van de aandelen. Ebony wil hem onder druk zetten, maar ze kan hem niet echt buitenspel zetten. Ze kan hem aardig onder de duim houden, wat volgens mij ook precies haar bedoeling is.'
'Ik neem aan dat Bass erbuiten staat, aangezien hij in New York woont.'
'Hij laat af en toe zijn gezicht zien op een directievergadering. Hij vindt het leuk om de grootindustrieel uit te hangen, maar hij is verder volkomen onschadelijk. Hij en Lance zijn het meestal met elkaar eens.'
'Wiens kant zal Ashley kiezen?'
'Moeilijk te zeggen. Ebony hoopt natuurlijk dat ze ons allemaal kan overreden om tegen Lance in opstand te komen.'
'Wat vindt je moeder ervan? Dit zal ze toch niet leuk vinden.'
'Ze vindt het afschuwelijk. Zij wil dat Lance de leiding houdt. Niet omdat hij het zo goed doet, maar omdat het minder gedonder geeft.'
'Denk je dat hij eerlijk is?'

'Lance? Meen je dat nou echt? Vergeet het maar.'
'Hoe kunnen jullie met elkaar opschieten?'
'Ik kan hem niet uitstaan. Hij is altijd vreselijk opgefokt en hij is zó paranoïde. Ik blijf zo ver mogelijk bij hem uit de buurt. Hij werkt me op de zenuwen. Begrijp me niet verkeerd, hij is mijn broer en als zodanig hou ik ook wel van hem. Ik mag hem alleen niet zo graag.' Ze trok haar neus op. 'Hij ruikt altijd naar knoflook en zweet en die afschuwelijke Brut after-shave. Ik snap niet waarom mannen dat spul gebruiken. Het is zó'n afknapper.'
'Heb je nog geroddel gehoord over die brand in het magazijn?'
'Alleen wat Terry me verteld heeft. Lance heeft twee jaar geleden geld geleend met het bedrijf als onderpand en nu maakt hij zware verliezen. Een half miljoen dollar zou hem uitstekend van pas komen.'
'Werkelijk? Dat wist ik nog niet.'
Ze haalde nonchalant haar schouders op. 'Hij is zich gaan bezig houden met de drukkerij-business, wat op zich al stom is. Ik heb gehoord dat dat samen met restaurants de snelste manier is om failliet te gaan. Hij boft dat het magazijn afgebrand is. Of is dat nou juist het punt waar het om gaat?'
'Kun jij me dat niet vertellen?'
Ze plaatste een elleboog op haar knie en liet haar kin op haar vuist rusten. 'Als je antwoorden zoekt, die heb ik niet voor je. Ik geef niets om Lance. Ik geef niets om Wood/Warren. Soms amuseert het hele gedoe me op een soort soap opera-achtige manier, zoals *Dynasty*, maar het blijft een saaie bedoening.'
'Waar geef je wèl om?'
'Tennis. Reizen. Kleren. Golf. Wat zou er verder nog moeten zijn?'
'Leuk leventje lijkt me dat.'
'Dat is het ook. Ik geef feestjes. Ik doe liefdadigheidswerk voor zover ik daar tijd voor heb. Er zijn mensen die me een verwend, lui kreng vinden, maar ik heb precies wat ik wil. Dat is meer dan de meeste mensen kunnen zeggen. Het zijn altijd de have-nots die problemen veroorzaken. Van mij heeft niemand last.'

'Je bent een geluksvogel.' 'Ze zeggen weleens dat alles zijn prijs heeft. Nou, ik betaal ook een prijs, geloof dat maar rustig.'
Het was haar aan te zien dat ze zwaar gebukt ging onder dat probleem.
We hoorden iemand de voordeur openmaken en even later voetstappen door de hal. Tegen de tijd dat Terry Kohler in de deuropening van de slaapkamer verscheen, was hij al bezig zijn jas uit te trekken en zijn das los te maken.
'Hallo, Kinsey. Olive vertelde me dat je langs zou komen. Ik neem even snel een douche en daarna kunnen we praten.' Hij keek Olive aan. 'Zou jij iets voor ons in kunnen schenken?' vroeg hij op een toon die geen tegenspraak duldde.
Het was niet echt zo dat ze ging opzitten en pootjes geven, maar dat was wel de indruk die ze wekte. Misschien had ze toch wel een zwaardere baan dan ik dacht. Ik zou me voor niemand zo aanstellen.

HOOFDSTUK DERTIEN

Ik wachtte in de woonkamer terwijl Olive in de keuken verdween. Het was een prachtig vertrek: gebogen vensterruiten, notehouten lambrizering, een open haard van natuursteen, traditioneel meubilair in mahoniehout en damast. Alles in rode en zachtroze tinten. Het rook er vaag naar anjers. Ik kon me die twee niet voorstellen terwijl ze hier iets aan het doen waren. Niets wees er op dat ze naar muziek luisterden of boeken lazen. Er was niets dat een gezamenlijke interesse deed vermoeden. Er lag een recent nummer van *Architectural Digest* op de salontafel, maar het zag er meer uit als een toneelrekwisiet. Ik ben nog nooit rijke mensen tegengekomen die *Popular Mechanics, Family Circle* of *Road & Track* lazen. Eigenlijk heb ik geen flauw idee wat rijke mensen 's avonds doen.

Olive kwam na tien minuten terug met een schaal hors d'oeuvres en een zilveren koelemmer met een in ijs genestelde fles wijn. Haar hele manier van doen was veranderd vanaf het moment dat Terry binnen was gekomen. Ze had nog steeds een air van elegantie, maar er was iets lichtelijk onderdanigs in haar houding geslopen. Ze was druk in de weer met linnen cocktailservetjes die ze nauwgezet schikte rond het dienblad dat ze op de salontafel had neergezet. Ze had met mascarponekaas gevulde vijgen klaargemaakt en gekoelde halve nieuwe aardappeltjes met zure room en kaviaar. Als ik dit nu eens als avondmaal beschouwde, zou ik dan voldoende calorieën binnenkrijgen?

Olive liep naar een dressoir en zette een aantal drankflessen klaar zodat we een ruime keus zouden hebben. Het begon langzaam donker te worden en ze deed twee schemerlampjes aan. De stroken van haar zijden jurk maakten een zacht ruisend geluid bij elke beweging die ze maakte. Ze had fraaigevormde benen en de naaldhakken deden haar kuiten des te beter uitkomen.

Toen ik opzij keek, zag ik Terry in de deuropening staan,

net onder de douche vandaan en omgekleed, zijn blik rustend op zijn druk in de weer zijnde echtgenote. Hij ving mijn blik op en in zijn glimlach meende ik een zweem van bezitterstrots te bespeuren. Hij leek me geen man die je het gemakkelijk naar de zin kon maken.
'Wat een prachtig huis,' zei ik.
Olive keek me aan met een flauw glimlachje. 'Dank je,' zei ze.
'Ga zitten,' zei hij.
'Ik wil jullie niet ophouden.'
Terry maakte een afwerend gebaar, alsof ons gesprek voorging. Het gebaar had hetzelfde innemende effect als wanneer iemand tegen zijn secretaresse zegt dat hij nu niet gestoord wil worden. Waarschijnlijk is het gewoon flauwekul...misschien belt er toch nooit iemand...maar het geeft de bezoeker het gevoel dat hij belangrijk is.
'Hij laat nooit een kans voorbijgaan om over de zaak te praten,' zei Olive. Ze gaf hem een martini en keek mij toen aan.
'Wat wil jij drinken?'
'Witte wijn, graag.'
Ik keek toe terwijl ze de fles ontkurkte, een glas voor mij inschonk en daarna een voor zichzelf. Ze gaf me mijn glas aan en stapte toen uit haar schoenen, waarna ze op de bank ging zitten met haar benen onder zich opgetrokken. Ze leek nu zachter, minder egoïstisch. De rol van levensgezellin paste haar, wat me op de een of andere manier verbaasde. Ze was een vrouw die zo op het oog geen ander doel in het leven had dan zichzelf te verwennen en haar man in de watten te leggen. Het leek een verouderde instelling in een wereld van werkende vrouwen en supermoeders.
Terry ging op de armleuning van de bank zitten en keek me met gereserveerde belangstelling aan. Zijn donkere ogen gaven zijn smalle gezicht een sombere uitdrukking, maar zijn manier van doen was sympathiek. Hij streek slechts af en toe over zijn snor. Ik heb mannen gezien die onophoudelijk over hun gelaatsbegroeiing streken, alsof het een zacht en vertrouwd stuk kinderspeelgoed was. 'Lance zei dat iemand heeft geprobeerd je een loer te draaien,' zei hij. Hij stak een

stukje nieuwe aardappel met zure room en kaviaar in zijn mond en gaf de schaal aan mij door.
'Daar ziet het inderdaad naar uit,' zei ik. Ik nam een met kaas gevulde vijg. Alsof er een engeltje op je tong pieste.
'Hoe kunnen wij je helpen?'
'Om te beginnen hoop ik dat je me wat kunt vertellen over Ava Daugherty.'
'Ava? Natuurlijk. Wat heeft zij ermee te maken?'
'Zij was aanwezig op de dag dat ik een inspectie uitvoerde op de plaats van de brand. Zij heeft ook gezien dat Heather mij die envelop met voorraadstaten overhandigde, die daarna verdwenen zijn.'
Hij wendde zijn blik af terwijl hij overwoog hoe hij zijn antwoord het beste kon formuleren. 'Voor zover ik weet is Ava het toppunt van betrouwbaarheid. Hardwerkend, eerlijk, verknocht aan het bedrijf.'
'En Lance? Hoe is haar verhouding tot hem?'
'Ik heb ze nog nooit een onvriendelijk woord met elkaar horen wisselen. Hij is trouwens degene die haar aangenomen heeft toen duidelijk werd dat we een chef de bureau nodig hadden.'
'Hoe lang geleden was dat?'
'God, dat moet alweer twee, drie jaar geleden zijn,' zei hij. Hij keek neer op Olive die vlak naast hem zat. 'Wat vind jij? Geef ik zo de verhouding goed weer?'
Olive haalde haar schouders op. 'Ach, ik zou niet willen zeggen dat ze gek op hem is. Ze vindt dat hij te veel speelt als hij eigenlijk zou moeten werken, maar ik geloof niet dat ze een complot tegen hem zou smeden.' Olive reikte me de schaal met hors d'oeuvres aan. Het leek me niet meer dan beleefd om nu iets anders te proeven, dus nam ik een half nieuw aardappeltje en stak dat in mijn mond.
'Wie zou daar wèl toe in staat zijn?' vroeg ik, terwijl ik de zure room van mijn duim likte. Dit was fantastisch spul. Als ze nou eventjes de kamer uit zouden willen gaan, zou ik de rest wel soldaat maken.
Ze keken me allebei zwijgend aan.
'Toe nou. Hij moet toch vijanden hebben. Iemand heeft hier een hoop werk van gemaakt,' zei ik.

Terry zei: 'Ik zou zo gauw niemand kunnen bedenken, maar we kunnen onze gedachten er wel eens over laten gaan. Misschien dat ons iets te binnen schiet.'
'Wat kun je me vertellen over de Wood/Warren-ingenieur die zelfmoord heeft gepleegd?'
'Hugh Case,' zei Olive.
Terry keek verrast. 'Hoe kom je daar zo bij? Ik heb net vanmiddag een telefoontje van Lyda Case gehad.'
'O ja?' zei ik. 'Wat had ze te zeggen?'
'Het was niet zozeer wàt ze zei, maar de manier waarop. Ze was helemaal door het dolle heen en ze krijste gewoon in de hoorn. Ze zei dat zijn dood mijn schuld was.'
Olive keek hem ongelovig aan. 'Jouw schuld? Wat een waanzin! Waarom zou ze dat zeggen?'
'Ik heb geen idee. Ze klonk alsof ze dronken was. Ze raasde en tierde en sloeg de meest vulgaire taal tegen me uit.'
'Dat is vreemd,' zei ik. 'Is ze hier in de stad?'
Terry schudde het hoofd. 'Dat heeft ze niet gezegd. Zo te horen was het interlokaal. Waar woont ze?'
'Dallas, geloof ik.'
'Ik kreeg de indruk dat ze van plan was om het vliegtuig hier naartoe te nemen. Wil je met haar praten als ze op komt dagen?'
'Ja, dat zou ik graag willen,' zei ik, zorgvuldig het feit verzwijgend dat ik haar de vorige avond nog ontmoet had. Ze had op mij helemaal geen paranoïde indruk gemaakt en Terry's naam was niet eens ter sprake gekomen.
Olive ging verzitten op de bank. 'Precies op tijd voor ons Oudejaarsfeestje. Iedereen komt.' Ze keek Terry aan. 'Heb ik je al verteld dat Bass vanavond aankomt?'
Er trok een geïrriteerde blik over zijn gezicht. 'Ik dacht dat hij blut was. Ik hoop dat jij zijn reis niet betaald hebt.'
'Ik? Geen sprake van! Ebony stuurt hem geld, maar je dacht toch niet dat ik zo gek was!' En toen tegen mij: 'Bass en ik hebben op Thanksgiving ruzie gemaakt en sinds die tijd spreken we niet meer met elkaar. Hij heeft een grote mond in kwesties die hem niet aangaan. Ik vind hem walgelijk, en dat is ook zo ongeveer zijn mening over mij.'
Terry keek op zijn horloge en ik vatte dat op als een stille

wenk. 'Jullie hebben een feestje, dus ik zal jullie niet langer ophouden,' zei ik.
'Volgens mij hebben we je niet veel verder geholpen,' zei Olive.
'Maak je daar maar geen zorgen over. Ik heb nog andere bronnen. Maar laat het me weten als jullie nog iets te binnen schiet dat van belang zou kunnen zijn.'
Ik legde mijn kaartje op de salontafel. Terry liep met me mee naar de deur terwijl Olive zich excuseerde omdat ze haar jas moest gaan halen. Hij keek haar na terwijl ze in de slaapkamer verdween. 'Ik wilde het niet zeggen waar zij bij was,' zei hij, 'maar Lyda Case heeft me vanmiddag behoorlijk de stuipen op het lijf gejaagd.'
'Hoezo?'
'Ik wil Olive niet nerveus maken, maar ze heeft me bedreigd. Ik geloof niet dat het iets met Lance te maken heeft, anders had ik het wel meteen verteld. Dit is iets anders. Ik begrijp niet wat er precies aan de hand is, maar ze klonk echt gestoord.'
'Wat hield die bedreiging precies in?' vroeg ik.
'Ze vroeg hoe oud ik op mijn volgende verjaardag zou worden. Ik wist niet waar ze naartoe wilde, maar toen ik zei dat ik zesenveertig zou worden zei ze: "Daar zou ik maar niet al te vast op rekenen." En toen begon ze als een krankzinnige te lachen. Jezus, het bloed stolde me gewoon in de aderen. Ik kan niet geloven dat ze het serieus meende, maar mijn god! Wie zegt er nou zoiets!'
'En je hebt geen idee waarom ze plotseling contact met je opnam?'
'Ik had haar in geen jaren meer gesproken. Voor het laatst na het overlijden van Hugh, denk ik.'
'Ik heb begrepen dat er enige onduidelijkheid bestaat over de manier waarop hij aan zijn eind is gekomen.'
'Dat heb ik ook gehoord, maar ik weet niet wat ik ervan moet denken.'
'Hoe goed kende je hem?'
'Ik zou niet willen zeggen dat we dikke vrienden waren, maar ik heb zo'n vijf jaar met hem samengewerkt. Hij heeft op mij nooit de indruk gemaakt van iemand die zelfmoord

zou plegen. Maar natuurlijk weet je nooit wat iemand onder druk zal doen.'
'Onder druk?'
'Lyda had gedreigd dat ze bij hem weg zou gaan. Hugh was een aardige kerel, maar hij was vreselijk afhankelijk van haar en ik denk dat toen zijn hele wereld in elkaar stortte.'
'Waarom wilde ze bij hem weg? Wat was er aan de hand?'
Olive kwam weer te voorschijn uit de slaapkamer, met de witte bontjas over haar schouders en de groene jurk over haar arm. Terry en ik lieten het onderwerp Lyda Case rusten. Hij zei niets toen ze mij de jurk gaf. Misschien gaf Olive altijd haar kleren weg. We gingen met zijn drieën tegelijk weg terwijl we over koetjes en kalfjes babbelden.
Het was inmiddels helemaal donker geworden en het was koud. Ik zette de verwarming van mijn auto aan en reed naar een telefooncel in Montebello Village, waar ik Darcy op haar huisadres belde. Ik wilde bij haar langsgaan voordat ik naar huis ging, maar ze vertelde me dat Andy had overgewerkt, zodat ze nog geen kans had gehad om zijn bureau te doorzoeken. Ze zou de volgende ochtend vroeg naar haar werk gaan en ze zei dat ze me zou bellen als ze iets zou vinden.
Ik hing op, en realiseerde me op hetzelfde moment hoe uitgeput ik was. Nog afgezien van de jetlag had ik die nacht nauwelijks geslapen, en het dutje dat ik die ochtend had gedaan had ook al niet veel geholpen. Ik reed naar huis. Toen ik mijn straat in reed, stond Daniels huurauto nog steeds langs de stoeprand voor mijn appartement. Ik parkeerde en stapte uit. Zelfs in het donker kon ik hem onderuitgezakt op de voorbank zien liggen, voeten nog altijd op het dashboard net als eerder die dag. Ik deed net het hek open toen hij zijn portierraampje naar beneden draaide. 'Kan ik even met je praten?'
Ik voelde een snibbig antwoord in me opkomen, maar ik beheerste me. Ik vind het niet prettig om me als een kreng te gedragen, en ik vond het afschuwelijk om mezelf toe te moeten geven dat hij me nog steeds van mijn stuk kon brengen. 'Goed,' zei ik. Ik liep naar zijn auto toe en bleef op

ongeveer twee meter afstand van het portier staan. 'Wat is er?'
Hij stapte uit en leunde met zijn ellebogen op het openstaande portier. Het bleke licht van de straatlantaarn gaf zijn jukbeenderen een gouden glans en accentueerde een paar zilveren lokken in zijn blonde haardos.
'Ik zit een beetje in een lastig parket,' zei hij. De schaduwen die op zijn gezicht vielen maskeerden het heldere blauw van zijn ogen. Alleen al zijn aanwezigheid was na acht jaar nog verbazingwekkend pijnlijk.
Het leek me het veiligst om de informatie zonder commentaar naar hem terug te spelen. 'Je zit in een lastig parket,' zei ik. Er viel een korte stilte waarin ik vermoedelijk geacht werd hem te vragen naar de aard van zijn probleem. Ik klemde mijn kaken op elkaar en wachtte.
Hij glimlachte enigszins treurig. 'Maak je maar niet ongerust. Ik ga je niet om geld vragen en ik probeer ook niet om je te versieren.'
'Dat is echt een opluchting voor me, Daniel. Wat wil je dan wèl?' Daar was het krengerige toontje weer, maar ik zweer dat ik er niets aan kon doen. Er is niets zo ergerlijk als een man die ooit je gevoelens heeft gemanipuleerd en nu denkt dat hij dat opnieuw kan doen. Ik kon me nog altijd herinneren hoe het geweest was in het begin van onze relatie, de zinderende seksuele spanning die er tussen ons bestond. Het had me jaren gekost voor ik me realiseerde dat die grotendeels gevoed was door mijn eigen verlangen. Misschien dat dat me achteraf zo pissig maakte. Ik was nog steeds nijdig op mezelf omdat ik zo'n idioot was geweest.
'Ik heb een plek nodig waar ik mijn instrument zo lang kwijt kan,' zei hij.
'Wat voor instrument?'
Hij haalde zijn schouders op. 'Ik heb een akoestische gitaar van tweeduizend dollar die ik niet in de auto kan laten liggen omdat het slot van de kofferbak kapot is. En als ik hem op de achterbank leg, is-ie ook zo verdwenen.'
'Heb je die gitaar helemaal vanuit Californië mee hier naartoe genomen?'
'Ik dacht dat ik hier misschien wel ergens een optreden zou

kunnen versieren. Ik zou het geld best kunnen gebruiken.'
'En hoe zit het met die vriend? Ik dacht dat je een lift van iemand gekregen had. Waarom breng je die gitaar niet naar zijn huis? Of is het een vrouw? Dat heb ik geloof ik nog niet eens gevraagd.'
'Nou, nee, het is een man,' zei hij. 'Het probleem is dat hij niet hier in de stad woont. Hij kwam hier alleen maar langs op weg naar San Francisco en hij komt pas zondag laat weer terug. Daarom moest ik ook zelf een auto huren.'
'Waar logeer je? Je hebt toch wel ergens een kamer?'
'Daar ben ik mee bezig. Alles in de stad zit vol vanwege de vakantie. Ondertussen kan ik niet eens bij een benzinestation gaan piesen zonder dat ik alles mee moet slepen. Het is maar voor een paar dagen.'
Ik staarde hem aan. 'Dit soort dingen doe je nou altijd, weet je dat? Je zit altijd in een lastig parket, staat altijd van de ene voet op de andere te wippen, en hoopt dan dat iemand je uit de puree zal halen. Waarom probeer je het niet bij het Leger des Heils? Of versier een vrouw. Dat moet toch niet zo'n probleem zijn. Waarom moet ik er voor opdraaien?'
'Je hoeft nergens voor op te draaien,' zei hij op vriendelijke toon. 'Het is maar een kleine gunst die ik van je vraag. Waarom doe je daar zo moeilijk over?'
Ik had er genoeg van. We hadden dit soort discussies al honderd keer eerder gevoerd en het was nog nooit tot hem doorgedrongen. Ik kon hem maar net zo goed zijn zin geven, dan was ik er tenminste van af. Waarschijnlijk was het alleen maar een ingewikkelde smoes om het contact in stand te houden. 'Laat maar,' zei ik. 'Ik doe nergens moeilijk over. Zet dat verdomde ding maar ergens in een hoek tot zondag, en dan wil ik het hier weg hebben.'
'Afgesproken. Geen probleem. Bedankt.'
'Maar ik waarschuw je, Daniel. Als je hier ergens een voorraadje spul hebt, bel ik de politie.'
'Ik heb je toch gezegd dat ik clean ben. Je mag het zelf controleren.'
'Laat maar zitten,' zei ik. Ik kende hem goed genoeg om te weten dat hij me dáár niet mee zou beduvelen, omdat hij *mij* goed genoeg kende om te weten dat ik hem zonder pardon aan zou geven als ik hem mocht betrappen.

HOOFDSTUK VEERTIEN

Ik nam twee slaaptabletten in en sliep als een os - een diepe, droomloze slaap die mijn geteisterde zenuwen tot rust bracht en me mijn goede humeur weer teruggaf. Ik was om zes uur op en maakte aanstalten om te gaan joggen, zoals gewoonlijk. Daniels auto stond niet meer langs het trottoir geparkeerd. Ik deed wat oppervlakkige stretch-oefeningen tegen het tuinhek en zette het op een drafje in de richting van Cabana Boulevard.

Ik voelde me prima. De lucht was parelgrijs met roze strepen. Rechts van me beukte een donkergrijze branding op het strand. De boulevard werd weerspiegeld in de glinsterende poelen die achterbleven als de golven zich terugtrokken. De zee scheen het gekrijs van de laagvliegende meeuwen te absorberen. Het was de laatste dag van het jaar en ik holde met een gevoel van optimisme dat het nieuwe jaar altijd met zich meebrengt. Ik zou een manier vinden om alle problemen op te lossen: Lance, Macs verdenking tegen mij, zelfs Daniels plotselinge verschijning op mijn stoep. Ik was springlevend en kerngezond. Rosie zou maandag weer open gaan. Over zes dagen kwam Henry weer thuis. Ik had de sjieke groene jurk die Olive me gegeven had, en misschien een uitnodiging voor een feestje als ze haar belofte tenminste niet zou vergeten. Ik holde mijn vijf kilometer en ging daarna over in wandeltempo om af te koelen terwijl ik naar huis liep.

Ik nam een douche en kleedde me aan. Inmiddels was het zeven uur - te vroeg voor telefoongesprekken. Ik at mijn cornflakes, dronk twee koppen koffie en las de *L.A. Times*. Daniels gitaar stond in de hoek van de kamer als een zwijgende getuigenis van zijn hernieuwde aanwezigheid in mijn leven, maar ik slaagde erin het instrument grotendeels te negeren.

Darcy belde om vijf over half acht bij California Fidelity vandaan. Ze had Andy's kantoor grondig doorzocht, maar niets gevonden.

'Shit,' zei ik. 'Ook geen typemachine? Ik had gehoopt dat we er misschien achter zouden kunnen komen op welke machine dat vervalste brandweerrapport getikt is, maar in zijn appartement stond er geen.'
'Misschien in de kofferbak van zijn auto.'
'O, fantastisch. Ik zal zien of ik daar op een of andere manier achter kan komen. Hou ondertussen je ogen en oren goed open. Je weet maar nooit. Andy moet er op de een of andere manier bij betrokken zijn. Het zou al heel wat zijn als ik wist wie hij bij Wood/Warren kent. Heb je zijn kantooragenda doorgekeken?'
'Daar heb je niks aan. Hij kent al die mensen omdat het zijn account was. Het lijkt me logisch dat hij het nummer dan bij de hand heeft. Maar ik zal het in elk geval even nagaan. Misschien komt er nog wel iets anders aan het licht.' Ze hing op.
Om acht uur belde ik het nummer van Lyda Case in Texas. Haar medebewoonster zei dat ze de stad uit was, misschien in Californië, maar dat wist ze niet zeker. Ik gaf haar mijn nummer met het verzoek om, als Lyda naar huis belde, haar te vragen of ze contact met mij wilde opnemen.
Ik belde mijn kennis bij het kredietbureau maar die had vrij en zou pas maandag weer terugkomen. Ik had het gevoel dat de rest van de dag zo'n beetje hetzelfde zou verlopen. Het was oudejaarsdag. Net als de dag voor Kerstmis gingen de meeste zaken vroeg dicht. Olive belde me om tien uur om te zeggen dat ze inderdaad een informele cocktailparty gaf. 'Voornamelijk familie en een paar goede vrienden. De helft van de mensen die ik gebeld heb, had al andere plannen. Kun je komen? Dat zouden we heel leuk vinden, als je tenminste geen andere afspraken hebt.'
'Nee hoor,' zei ik. 'Ik vind het enig om te komen.' Ik vond het vervelend om zo gretig te klinken, maar het was de waarheid. Ik wilde deze oudejaarsavond niet in mijn eentje doorbrengen. Ik was bang dat ik in dat geval misschien weer voor Daniel zou bezwijken. 'Kan ik iets meebrengen?'
'Nou, ik zou wel wat hulp kunnen gebruiken,' zei ze. 'Ik heb de huishoudster het weekend vrijaf gegeven, dus ik moet alles zelf doen. Een paar extra handen zou goed van pas komen.'

'Nou, ik kan niet koken, maar snijden en roeren lukt me nog wel. Hoe laat?'
'Half vijf? Tegen die tijd ben ik wel terug van de supermarkt. Ash zei dat ze om een uur of vijf ook zou komen helpen. De anderen komen tegen zevenen. We gaan net zo lang door tot de hapjes en de drank op zijn.'
'Fantastisch,' zei ik. 'En ik kan die groene jurk aan?'
'Dat is je geraden. Ik geef die party juist om jou dat verrekte ding te laten dragen.'
Ik belde het nummer van Lance. Het was misschien niet zo verstandig om op eigen initiatief contact met hem op te nemen, maar ik moest zijn versie horen van dat geval met Hugh Case. Zodra hij aan het toestel kwam, vertelde ik hem wat ik gehoord had. Het bleef stil aan de andere kant van de lijn. 'Lance?'
'Ik ben er nog,' zei hij. Hij slaakte een diepe zucht. 'Jezus, ik weet niet wat ik hiermee aan moet. Wat is er in godsnaam allemaal aan de hand? Ik heb indertijd wel geruchten opgevangen dat ze dacht dat ik iets met zijn dood te maken had. Het is niet waar. Het is volslagen uit de lucht gegrepen, maar hoe kan ik dat ooit bewijzen? Waarom zou ik zoiets doen? Wat zou ik er in vredesnaam beter van worden als ik hem zou vermoorden?'
'Zou hij het bedrijf niet gaan verlaten?'
'Geen sprake van. Hij had het er wel over gehad om weg te gaan. Hij zei dat hij een eigen bedrijf wilde beginnen. Hij diende zelfs zijn ontslag in, maar vader riep hem bij zich en toen hebben ze een lang gesprek gehad. Vader bood aan om hem adjunct-directeur te maken. Gaf hem een flinke salarisverhoging en alles was weer koek en ei.'
'Wanneer was dat?'
'Ik weet het niet precies. Een paar dagen voor hij stierf.'
'Vond je dat niet merkwaardig?'
'Inderdaad. Zij hield bij hoog en laag vol dat hij geen zelfmoord had gepleegd en zo dacht ik er ook over. Hij was geen depressief type en hij had zojuist een mooie promotie gemaakt. Op de een of andere manier heeft ze het in haar hoofd gehaald dat ik hem vermoord heb. Ik zou nog geen vlieg kwaad kunnen doen. Je moet me geloven. Iemand

doet een hoop moeite om mij achter de tralies te krijgen.'
'Tussen haakjes, heb je al iets van California Fidelity gehoord?'
Zijn toon veranderde. 'Ja, gisteren. Ze geven de zaak in handen van de politie.'
Ik voelde hoe mijn maag zich samentrok. 'O? Denk je dat ze een rechtszaak zullen aanspannen?'
'Ik weet het niet. Ik hoop van niet. Hoor eens, ik moet vertrouwelijk met je praten en hier kan dat niet. Het is belangrijk. Kunnen we ergens afspreken?'
Ik vertelde hem dat ik op Olives party was uitgenodigd en we spraken af dat we daar verder zouden praten. Ik wilde eigenlijk liever niet in zijn gezelschap gezien worden, maar het scheen hem ernst te zijn en hoe dan ook, beroerder dan nu kon de situatie nauwelijks worden. Ik had me niet schuldig gemaakt aan enige vorm van samenzwering en ik was het zat om te doen alsof dat wel zo was. De ongerustheid lag als een loden last op mijn maag. Ik moest iets doen om mijn zinnen te verzetten.
Ik ging de deur uit en kocht een paar schoenen met hoge hakken. Naarmate de dag vorderde, maakte de ongerustheid plaats voor opwinding. Na een week alleen te zijn geweest, was ik me ervan bewust dat ik wel degelijk over bepaalde sociale aandriften beschik - diep verborgen misschien, onder lagen behoedzaamheid, maar niettemin onmiskenbaar aanwezig. Dit was net een verkleedpartij voor grote kinderen en ik verheugde me erop. Ik was veel milder over Olive gaan oordelen, terwijl haar levensstijl me nog pas gisteren zo oppervlakkig en egoïstisch was voorgekomen. Wie was ik om daarover te oordelen? Het ging mij niets aan hoe zij haar leven inrichtte. Dat mocht dan grotendeels bestaan uit tennis en winkelen, maar ze deed toch ook af en toe liefdadigheidswerk en dat was meer dan ik van mezelf kon zeggen. In één ding had ze in elk geval gelijk: de problemen in de wereld worden veroorzaakt door diegenen die zich misdeeld en misbruikt voelen. Tevreden mensen houden zich (in de regel) niet bezig met het uitschrijven van ongedekte cheques, het beroven van banken of het vermoorden van hun medeburgers.

Ik speelde even met de gedachte om nog een uurtje naar de sportschool te gaan, maar zag daar toch maar van af. Ik was al sinds dinsdag niet meer geweest, maar het kon me eigenlijk niets schelen. De rest van de middag rommelde ik maar een beetje rond.
Om drie uur nam ik een uitgebreid schuimbad...nou ja, ik gebruikte een vloeibaar afwasmiddel, maar het schuimde in elk geval fantastisch. Ik waste mijn haar en borstelde het voor de afwisseling maar eens. Ik deed wat make-up op mijn gezicht en wurmde me toen in mijn ondergoed en in een panty. De jurk was fantastisch en zat me als gegoten. Hij ruiste net zo als die van Olive de vorige dag. Voor dit vrouwelijke gedoe had ik me nooit aan een voorbeeld kunnen spiegelen. Na de dood van mijn ouders, toen ik vijf jaar oud was, was ik opgevoed door een ongehuwde tante die zelf niet bepaald een expert was op het gebied van vrouwelijke aangelegenheden. Ik had mijn kinderjaren doorgebracht met klappertjespistolen en boeken en het aanleren van zelfstandigheid, waar ze onevenredig veel belang aan hechtte. Tegen de tijd dat ik naar de middelbare school ging was ik totaal onaangepast, en in de hogere klassen trok ik op met een stelletje ongeregeld dat niet veel méér deed dan grove taal uitslaan en hasj roken, twee zaken die ik al op jeugdige leeftijd onder de knie had. Op sociaal gebied mag ik dan misschien een beetje een lomperik zijn, mijn tante had me toch een solide waardepatroon bijgebracht dat tenslotte de overhand kreeg. Tegen de tijd dat ik eindexamen deed, had ik me aardig aangepast en tegenwoordig ben ik een modelburger, als je tenminste een of twee burgerlijke conventies buiten beschouwing laat. Diep in mijn hart ben ik eigenlijk altijd een preuts moralistje geweest. Privé-detective spelen is gewoon mijn manier om me af te reageren.
Tegen half vijf stond ik bij de Kohlers op de stoep en luisterde naar het geluid van de deurbel dat door het huis echode. Het zag er niet naar uit alsof er iemand thuis was. De brievenbus zat volgepropt en op de deurmat lagen een krant en een pakje in bruin pakpapier. Ik tuurde door een van de langwerpige glazen panelen die zich aan weerskanten van de voordeur bevonden. De hal was donker en ook achter in het

huis zag ik nergens licht branden. Waarschijnlijk was Olive nog niet terug van de supermarkt. De kat kwam om de hoek van het huis heen met haar langharige witte vacht en haar platte snuit. Op de een of andere manier leek het me een vrouwtje, maar ik heb geen enkel verstand van katten. Ik maakte wat katachtige geluiden, maar ze leek niet onder de indruk.
Ik hoorde het geluid van een claxon. Het elektronisch bediende hek zwaaide langzaam open en een witte Mercedes 380 SL reed de oprijlaan op. Olive zwaaide en ik liep naar de plek waar ze parkeerde. Ze stapte uit en liep naar de achterkant van de wagen. Ze zag er bijzonder sjiek uit in haar witte bontjas.
'Sorry dat ik zo laat ben. Sta je al lang te wachten?'
'Vijf minuten.'
Ze maakte de kofferbak open en haalde er een boodschappentas uit, waarna ze probeerde er nog een tweede uit te tillen.
'Laat mij je even helpen.'
'O, dank je. Terry komt er zo aan met de drank.'
Ik nam een van de tassen van haar over en pakte gelijk nog een tweede mee, nu ik toch bezig was. Er stonden nog twee tassen in de kofferbak en nog eens twee op de voorbank.
'Mijn god, hoeveel mensen heb je uitgenodigd?'
'Een stuk of veertig maar. Het wordt vast heel gezellig. Laten we deze maar alvast naar binnen brengen, dan neemt Terry de rest wel mee. We hebben nog ontzettend veel te doen.'
Ze liep naar de voordeur en ik liep achter haar aan. Er klonk geknars van banden op grint en Terry draaide de oprijlaan op in een zilvergrijze Mercedes sedan. Leuk autotje, dacht ik. Het hek zwaaide weer dicht. Ik wachtte terwijl Olive de brievenbus leeghaalde en de stapel enveloppen in haar boodschappentas propte. Ze pakte de krant op, stopte die ook in de tas en raapte toen het pakje op.
'Heb je hulp nodig? Ik kan nog wel wat meer dragen.'
'Het gaat wel.' Ze legde het pakje bovenop de inhoud van de tas en hield het met haar kin op zijn plaats terwijl ze haar huissleutel zocht.

De kat drentelde met opgeheven pluimstaart in de richting van de oprijlaan. Ik hoorde het rinkelen van drankflessen toen Terry zijn tassen op de grond zette. Hij begon een tuinslang op te rollen die de tuinman op het pad had laten liggen.
'Je zou je nek nog breken over dat ding,' zei hij. Olive maakte de deur open en gaf hem een duw. De telefoon begon te rinkelen. Ik keek achterom terwijl zij het pakje in de richting van het haltafeltje mikte.
Wat er toen gebeurde ging zo snel dat het niet te volgen was. Er was een felle lichtflits die mijn gezichtsveld vulde als een zon, gevolgd door een enorme wolk witte rook. Metaalfragmenten floten met dodelijke snelheid door de lucht. Een vuurbal scheen zich over de drempel te storten als een muur van water wanneer een sluis opengezet wordt. Vlammen spoelden over het gras. Elk groen blaadje dat zich in het pad van de vuurbal bevond, werd zwart. Op hetzelfde moment werd ik opgetild door een oorverdovende explosie die me dwars door de tuin smeet. Plotseling zat ik rechtop tegen een boomstam, als een lappenpop, schoenen verdwenen, tenen recht omhoog wijzend. Ik zag Olive voorbij zeilen in een komische boog, alsof iemand haar weggesmeten had, en haar naast de heg op de grond smakken. Afwisselend zag ik alles vaag en helder, een lichtshow van het netvlies, begeleid door het ademloze bonken van mijn hart. Het enige dat mijn verbijsterde brein registreerde was de scherpe, doordringende geur van buskruit.
De explosie had me verdoofd, maar ik voelde geen angst of verbazing. Emoties zijn afhankelijk van begrip, en hoewel ik het gebeuren registreerde, kon ik er geen touw aan vastknopen. Als ik op dat moment gestorven was zou ik geen greintje spijt hebben gevoeld, en ik begreep hoe bevrijdend een plotselinge dood moest zijn. Dit was pure sensatie zonder meer.
De voorgevel van het huis was verdwenen en op de plek waar het haltafeltje had gestaan bevond zich een krater. De hal lag er nu open en bloot bij, temidden van zwartgeblakerd hout en pleisterwerk dat vrolijk brandde. Grote lichtblauwe en lichtbruine vlokken dwarrelden neer als sneeuw.

Overal in de tuin lagen levensmiddelen en het rook er naar gemengd zuur, zilveruitjes en whisky. Mijn ogen en oren hadden alles opgenomen, maar het proces van evaluatie was nog niet in gang gezet. Ik had geen flauw idee wat er gebeurd was. Ik kon me niet herinneren wat er zojuist had plaatsgevonden, of hoe dat verband kon houden met eerdere gebeurtenissen. Hier zaten we nou, maar hoe waren we hier terechtgekomen?
Door de veranderde lichtinval nam ik aan dat mijn wenkbrauwen en wimpers verdwenen moesten zijn en ik was me bewust van verschroeid haar en brandwonden. Ik stak een hand op en merkte tot mijn verbazing dat mijn ledematen nog functioneerden. Ik bloedde uit mijn neus en uit allebei mijn oren, die nu vreselijk pijn deden. Links van me kon ik Terry's mond zien bewegen, maar er kwamen geen woorden uit. Hij was door iets geraakt en het bloed stroomde over zijn gezicht. Zo te zien had hij veel pijn, maar het was net een stomme film. Ik keek om me heen om te zien waar Olive was.
Gedurende één verward moment dacht ik dat ik een stel aan stukken gescheurde poolvossen zag, met bebloede pelzen die bevestigden wat ze de dag ervoor gezegd had. Het is dus waar, dacht ik, die dieren worden in het wild elke dag aan stukken gescheurd. De bloedrode vlekken op de zachte witte vacht kwamen me obsceen en misplaatst voor. En toen begreep ik natuurlijk waar ik naar zat te kijken. De explosie had de achterkant van haar lichaam opengereten en een warboel van bloederig vlees, geel vet en rafelige botsplinters blootgelegd. Ik sloot mijn ogen. Inmiddels was de lucht van buskruit vervangen door de geur van brandend hout en gekookt vlees. Zorgvuldig overdacht ik de huidige stand van zaken.
Olive moest dood zijn, maar Terry leek in orde, en ik dacht dat hij me misschien te zijner tijd wel overeind zou komen helpen. Maar dat had geen haast, dacht ik. Ik zit hier best. De boomstam gaf me een steuntje in de rug en dat kon ik best gebruiken, want ik was moe. Ik vroeg me gedachteloos af waar mijn schoenen waren gebleven. Ik voelde een beweging in de buurt en toen ik mijn ogen weer open deed,

staarden verbijsterde gezichten me aan. Ik wist niets te zeggen. Ik was al weer vergeten wat er aan de hand was, ik wist alleen nog maar dat ik het koud had.
Er moest enige tijd verstreken zijn. Mannen in gele oliejassen richtten brandslangen op het huis en zwaarden van water doorkliefden de vlammen. Bezorgde mensen hurkten voor me neer en bewogen hun monden. Grappig was dat. Ze schenen zich niet te realiseren dat ze niets zeiden. Zo ernstig, zo bezield, en zo geconcentreerd. Lippen en tanden die zo doelbewust bewogen zonder merkbaar effect. En toen lag ik op mijn rug en schommelden er boomtakken door mijn gezichtsveld terwijl ik weggedragen werd. Ik deed mijn ogen weer dicht en hoopte maar dat het ronddraaien van de wereld zou ophouden voordat ik misselijk werd. Ondanks de hitte van de brand rilde ik van de kou.

HOOFDSTUK VIJFTIEN

Geleidelijk aan kwam mijn gehoor weer terug, vage stemmen in de verte die steeds dichterbij kwamen totdat ik me realiseerde dat het iemand was die over me heen gebogen stond. Daniel, stralend als een aartsengel, verscheen boven me. Hij bood een verbijsterende aanblik, en ik voelde een onweerstaanbare behoefte om een hand naar mijn voorhoofd te brengen, als een filmster die uit een flauwte bijkomt, en te mompelen: Waar ben ik? Waarschijnlijk was ik dood. Dat moet de hel zijn, dat je vroegere echtgenoot weer zo dicht bij je is...flirtend met een verpleegster. Aha, dacht ik, een aanwijzing. Ik lag in een ziekenhuisbed. Zij stond rechts van hem, in smetteloos wit, een Vestaalse maagd met een ondersteek, haar blik gefixeerd op zijn perfecte profiel. Ik was vergeten hoe gewiekst hij in dat soort dingen was. Terwijl hij ernstige bezorgdheid over mij veinsde, had hij in werkelijkheid zijn seksuele net uitgeworpen en haar gevangen in een fijnmazig web van feromonen. Ik bewoog mijn lippen en hij boog zich dieper over me heen. Hij zei: 'Ik geloof dat ze weer bij bewustzijn is.'
'Ik haal de dokter,' zei de verpleegster. Ze verdween.
Daniel streelde over mijn haar. 'Wat is er, liefje? Heb je pijn?'
Ik likte over mijn lippen. 'Klootzak,' zei ik, maar het kwam er verminkt uit en ik betwijfelde of hij begreep wat ik bedoelde. Op dat moment legde ik de gelofte af dat ik genoeg zou opknappen om hem eruit te gooien. Ik deed mijn ogen weer dicht.
Ik herinnerde me de lichtflits, de oorverdovende explosie, Olive die als een ledepop langs me heen vloog. Ze had er onwerkelijk uitgezien, armen en benen onnatuurlijk verwrongen, lomp als een zandzak die door de lucht werd gesmeten en met een doffe klap neerkwam.
Olive moest dood zijn. Die door de explosie uiteen gereten lichaamsdelen vielen met geen mogelijkheid meer te repareren.

Ik herinnerde me Terry en het bloed dat over zijn gezicht stroomde. Was hij ook dood? Ik keek naar Daniel, terwijl ik me afvroeg hoe ik er aan toe was.
Daniel voelde wat ik wilde vragen. 'Er is niets ernstigs met je aan de hand, Kin. Alles is in orde. Je bent in het ziekenhuis en Terry ligt hier ook,' zei hij. En na een korte aarzeling: 'Olive heeft het niet gehaald.'
Ik deed mijn ogen weer dicht en hoopte dat hij zou verdwijnen.
Ik concentreerde me op mijn diverse lichaamsdelen in de vurige hoop dat er geen zouden ontbreken. Veel dierbare onderdelen van mijn anatomie deden pijn. Eerst dacht ik dat ik onder een soort spanlaken lag, maar het feit dat ik me nauwelijks kon bewegen bleek het resultaat te zijn van een combinatie van kneuzingen, spierverrekkingen, infuusvloeistof, pijnstillers, en drukverbanden op de plaatsen waar ik brandwonden had opgelopen. Gegeven het feit dat ik drie meter bij Olive vandaan had gestaan, bleken mijn verwondingen ontzettend mee te vallen - kneuzingen en schaafwonden, een lichte hersenschudding, eerstegraads brandwonden aan armen en benen. Ze hadden me voornamelijk wegens shock in het ziekenhuis opgenomen.
Het was me nog steeds niet helemaal duidelijk wat er precies gebeurd was, maar er was geen IQ van 160 voor nodig om te begrijpen dat er een enorme explosie had plaatsgevonden. Een gasontploffing? Eerder een bom. Zowel de knal als de schokgolf waren kenmerkend voor zwakke explosieven. Ik weet nu, omdat ik dat heb opgezocht, dat zwakke explosieven snelheden van duizend meter per seconde kunnen bereiken, wat veel sneller is dan het tempo waarin de gemiddelde persoon zich voortbeweegt. Dat korte reisje van Olives voorportaal naar de boomstam was een soort vrije vlucht geweest.
De dokter kwam binnen. Het was een onopgesmukte vrouw met een vriendelijk gezicht en genoeg gezond verstand om Daniel te vragen de kamer te verlaten terwijl ze me onderzocht. Ik mocht haar onmiddellijk omdat ze hem niet smachtend en met openhangende mond aan ging staan staren. Ik keek naar haar met het volle vertrouwen van een

kind terwijl ze mijn vitale functies controleerde. Ze moest eind dertig zijn, met weerspannig haar, geen make-up, grijze ogen waaruit mededogen en intelligentie sprak. Ze hield mijn hand vast, strengelde haar koele vingers door de mijne. 'Hoe voel je je?'
De tranen sprongen in mijn ogen. Ik zag mijn moeders gezicht in het hare, en ik was weer vier, mijn keel rauw na het knippen van mijn amandelen. Ik was vergeten hoe het was om de warmte te voelen die afstraalt van mensen die zieken verzorgen. Ik was doortrokken van een kwetsbaarheid die ik niet meer had gevoeld sinds mijn moeder stierf. Ik kan niet zo goed tegen hulpeloosheid. Ik heb in mijn leven hard gewerkt om niet van anderen afhankelijk te hoeven zijn en daar lag ik nu, niet in staat om zelfs maar de schijn van flinkheid of competentie op te houden. In zeker opzicht was het een enorme opluchting om daar als een zielig hoopje mens te liggen en mezelf over te geven aan haar koesterende zorgen.
Tegen de tijd dat ze klaar was met haar onderzoek, was ik weer min of meer bij mijn positieven gekomen, in elk geval genoeg om haar een paar verwarde vragen te stellen in een poging erachter te komen hoe het nu precies met me gesteld was.
Ze vertelde me dat ik op een privé-kamer in St. Terry lag waar ik de avond tevoren via de EHBO terecht was gekomen. Ik kon me daar vaag nog fragmenten van herinneren: het jankende geluid van sirenes terwijl de ambulance bochten om scheurde, het harde witte licht boven me op de EHBO-afdeling, het gemompel van het ziekenhuispersoneel dat mijn verwondingen moest evalueren. Ik herinnerde me hoe geruststellend het was geweest toen ik eindelijk in bed werd gelegd: schoon, opgelapt, volgepompt met medicamenten en zonder pijn te voelen. Het was nu midden op de ochtend van nieuwjaarsdag. Ik was nog altijd erg zwak en ik kwam er rijkelijk laat achter dat ik wegdommelde zonder er zelf erg in te hebben.
De volgende keer dat ik wakker werd, was het infuus verwijderd en de dokter had plaats gemaakt voor een leerling-verpleegster die me op de ondersteek hielp, me weer waste, me een schoon nachthemd aantrok, de lakens verschoonde

en het bed zodanig verstelde dat ik vanuit zittende positie de wereld weer kon zien. Het liep tegen twaalven. Inmiddels stierf ik van de honger en ik schrokte een portie gelatinepudding met kersensmaak naarbinnen die de verpleegster ergens voor me op had gescharreld. Daarmee kon ik weer even vooruit totdat de serveerwagens op de afdeling arriveerden. Daniel was naar het ziekenhuiscafetaria gegaan om te lunchen en tegen de tijd dat hij terug was had ik een bordje met 'Geen Bezoek' aan de deur laten hangen.
Maar dat gold blijkbaar niet voor inspecteur Dolan, want toen ik weer wakker werd zat hij op mijn kamer een tijdschrift door te bladeren. Hij is in de vijftig, een zwaargebouwde, sloffende man met afgetrapte schoenen en een beige lichtgewicht kostuum. Hij zag er uitgeput uit. Zijn voorhoofd vertoonde diepe rimpels en hij had zich slecht geschoren. Zijn dunner wordende haar zat door de war. Hij had wallen onder zijn ogen en zijn huid zag vaal. Ik nam aan dat het de vorige avond laat geworden was en dat hij zich misschien verheugd had op een dag vol sportwedstrijden op de TV in plaats van mij te moeten ondervragen.
Hij keek op van zijn tijdschrift en zag dat ik wakker was. Ik kende Dolan al zo'n jaar of vijf, en hoewel we respect voor elkaar hebben, voelen we ons in elkaars gezelschap nooit op ons gemak. Hij heeft de leiding over de afdeling Moordzaken van de politie van Santa Teresa en soms kruisen we de degens wel eens. Hij heeft niet veel op met privé-detectives en ik heb er een hekel aan om mijn beroepspositie te moeten verdedigen. Geloof me, als ik een manier kon vinden om moordzaken te vermijden, dan zou ik dat vast en zeker doen.
'Ben je wakker?' zei hij.
'Min of meer.'
Hij legde het tijdschrift neer en kwam overeind. Hij kwam naast mijn bed staan en stak zijn handen in zijn zakken. Al mijn gebruikelijke bravoure was, letterlijk, weggeblazen. Inspecteur Dolan scheen niet te weten hoe hij me in mijn huidige hulpbehoevende toestand aan moest pakken. 'Voel je je goed genoeg om over gisteravond te praten?'
'Ik denk het wel.'
'Kun je je herinneren wat er gebeurd is?'
'Zo'n beetje. Er was een explosie en Olive is omgekomen.'

Dolans mondhoeken trokken naar beneden. 'Op slag dood. Haar man heeft het overleefd, maar hij kan zich niets meer herinneren. De dokter zegt dat het over een paar dagen allemaal wel weer terug zal komen. Jij bent er goed afgekomen voor iemand die er zo dichtbij stond.'
'Bom?'
'Pakjesbom. Buskruit, denken we. De bomexperts zijn er nog mee bezig. Heb jij toevallig ergens een pakje gezien?'
'Er lag een pakje voor de deur toen ik er aankwam.'
'Hoe laat was dat?'
'Tegen half vijf. De Kohlers zouden een oudejaarsparty geven en zij had me gevraagd om te komen helpen.' Ik voelde hoe ik langzaam begon op te leven, hoe mijn gedachten gaandeweg weer samenhangender werden.
'Vertel eens wat je je van dat pakje herinnert.'
'Niet veel. Ik heb er maar even naar gekeken. Bruin pakpapier. Geen touw. Blokletters, met viltstift geschreven, dacht ik. Ik zag het ondersteboven.'
'Met het adres naar de deur gericht,' zei hij. Hij haalde een notitieboekje en een pen te voorschijn.
'Ja.' 'Aan wie was het gericht?'
'Terry, denk ik. Niet aan "De heer en mevrouw" want daar was de regel niet lang genoeg voor. En ook al zag ik het ondersteboven, de "O" in Olives naam zou me toch wel opgevallen moeten zijn.'
Hij maakte druk aantekeningen. 'Afzender?'
'Uh-huh. Ik kan me ook geen poststempel herinneren.'
'Je doet het prima,' zei hij. 'De postbode zegt dat hij gisteren alleen maar brieven heeft bezorgd, geen enkel pakje. Je hebt daar niemand weg zien lopen?'
Ik probeerde terug te denken, maar dat leverde niets op. 'Het spijt me. Ik herinner me niemand te voet. Er kan een auto voorbij gereden zijn, maar dat weet ik echt niet meer.'
Ik deed mijn ogen dicht en haalde me de veranda voor de geest. Over de hele breedte stonden kuipen met zalmroze begonia's. 'O ja. De krant lag op de deurmat. Ik weet niet hoe ver de krantenjongen het pad op loopt, maar misschien heeft hij het pakje gezien op zijn route.'
Hij maakte weer een aantekening. 'Dat zullen we nagaan. Hoe groot was dat pakje?'

Ik haalde mijn schouders op. 'Ongeveer het formaat van een overhemddoos. Groter dan een boek. Zo'n vijfentwintig bij dertig centimeter en zeven of acht centimeter dik. Was er nog iets van over?'
'Meer dan je zou verwachten. We denken dat er onder het bruine pakpapier een cadeauverpakking zat. Blauw.'
'O ja,' zei ik ontzet. 'Ik herinner me dat ik bruine en blauwe vlokken zag neerdwarrelen. Ik dacht dat het sneeuw was, maar het moeten papiersnippers geweest zijn.' Ik herinnerde me wat Terry me verteld had. 'Nog iets anders,' zei ik. 'Terry werd bedreigd. Dat vertelde hij me toen ik er de vorige avond was. Hij kreeg op de fabriek een telefoontje van een vrouw genaamd Lyda Case. Ze vroeg hem wanneer hij jarig was en toen hij haar dat vertelde, zei ze dat hij daar maar niet al te vast op moest rekenen.'
Ik vertelde hem alles, vanaf het begin. Bij wijze van uitzondering vond ik het heerlijk om hem alles te vertellen wat ik wist. Dit was geen amateurwerk...hier waren beroeps aan het werk...meer dan ik in mijn eentje aankon. Als ze met bommen begonnen, hoefde het voor mij niet meer. Inspecteur Dolan was druk aan het schrijven, zijn gezicht een masker van bestudeerde neutraliteit waar politiemensen het patent op lijken te hebben; alles in zich opnemend, niets loslatend. Hij sprak alsof hij al in de getuigenbank stond.
'Dus er is een kans dat ze zich in Santa Teresa bevindt. Bedoel je dat?'
'Ik weet het niet. Hij scheen te denken dat ze hier naartoe zou komen, maar daarover was hij nogal vaag. Ligt hij hier ook?' vroeg ik.
'Zelfde verdieping. Andere kant van de gang.'
'Heb je er bezwaar tegen als ik met hem ga praten?'
'Nee hoor. Misschien frist het zijn geheugen wel op.'
Nadat inspecteur Dolan vertrokken was, ging ik voorzichtig op de rand van mijn bed zitten. Mijn hoofd bonsde van de plotselinge inspanning. Ik bleef stil zitten totdat de lichtshow binnen mijn schedel afgelopen zou zijn. Ik bestudeerde mijn lichaamsdelen voor zover die niet aan het oog onttrokken waren.
Mijn benen zagen er breekbaar uit onder het lichtgewicht katoenen ziekenhuishemd dat van achteren sloot en uiterst

luchtig was. Het patroon van kneuzingen aan mijn voorkant leek er op te wijzen dat iemand me met een poederdons en paarse talkpoeder bewerkt had. Mijn handen zaten in verband gewikkeld en aan de binnenkant van mijn onderarmen zag ik de vurige uitlopers van de brandwonden. Ik hield me vast aan de stang en liet me van het bed glijden, steunend op het nachtkastje. Mijn benen trilden. Ik wist haast wel zeker dat ze het niet goed zouden vinden dat ik op deze manier uit bed kwam. En zelf vond ik het bij nader inzien ook niet zo'n geweldig idee. Bij het bonzen in mijn hoofd kwam nu ook een gevoel van misselijkheid. Het klamme zweet brak me uit en donkere vlekken begonnen voor mijn ogen te dansen. Ik voelde wel dat dit geen doorslaand succes zou worden en dus ging ik maar weer op de rand van het bed zitten.
Er werd op de deur geklopt en de verpleegster kwam binnen. 'Uw man staat buiten. Hij zegt dat hij weg moet en dat hij u nog graag even wil zien voordat hij vertrekt.'
'Hij is mijn man niet,' zei ik automatisch.
Ze stak haar handen in de zakken van haar uniform - een jasje en een witte broek, geen kapje. Ik wist alleen dat ze verpleegster was omdat dat op haar plastic naamplaatje stond onder haar naam, Sharie Wright. Ik nam haar heimelijk op omdat ik wist hoe gek Daniel was op vrouwen met dergelijke namen. Debbie en Tammie en Cindie. Candie scoorde ook hoog. Ik neem aan dat Kinsey ook tot die categorie hoorde, nu ik erover nadacht. Kinsie. Ontrouw verlaagt en vernedert, totdat er niets meer over is van wat ooit je gevoel van eigenwaarde was.
'Hij maakt zich vreselijk ongerust,' zei ze. 'Ik weet wel dat het mij niet aangaat, maar hij is hier de hele nacht geweest. Ik vond dat u dat moest weten.' Ze zag dat ik probeerde weer in bed te kruipen en hielp me een handje. Ik schatte haar op ongeveer zesentwintig. Ik was drieëntwintig toen ik met hem trouwde, vierentwintig toen hij me verliet. Geen verklaring, geen discussie. Ik verzette me niet tegen de scheiding, die in recordtijd geregeld was.
'Kan ik misschien een rolstoel krijgen? Er is iemand verderop in de gang bij wie ik graag even langs zou gaan. De man die gelijk met mij opgenomen is.'

‘Meneer Kohler. Die ligt in drie-nul-zes aan het eind van de gang.’
‘Hoe is het met hem?’
‘Goed. Hij gaat vanmiddag naar huis.’
‘De rechercheur die hier een tijdje geleden was wil dat ik met hem ga praten.’
‘En uw man? Hij zei dat hij maar twee minuten nodig had.’
‘Hij is mijn man niet,’ zei ik voor de tweede keer, ‘maar vooruit dan maar. Stuur hem maar naar binnen. En kunt u daarna voor een rolstoel zorgen? Als ik probeer te lopen, val ik gegarandeerd op mijn gezicht en dan stel ik een eis tot schadevergoeding tegen het ziekenhuis in.’
Ze vond het duidelijk geen leuk grapje. Ze vertrok zonder nog een woord te zeggen. Mijn man, dacht ik bij mezelf. Mooi van niet.

HOOFDSTUK ZESTIEN

Hij zag er moe uit - een hele verbetering, vond ik. Daniel stond naast mijn ziekenhuisbed en zijn tweeënveertig jaren waren hem duidelijk aan te zien. 'Ik weet dat je dit niet prettig zult vinden,' zei hij, 'maar de dokter zegt dat ze je niet naar huis laat gaan tenzij je iemand hebt die voor je kan zorgen.'

Een gevoel dat aan paniek grensde kroop omhoog in mijn borst. 'Morgen ben ik weer helemaal in orde. Ik heb niemand nodig om voor me te zorgen. Het idee alleen al stuit me tegen de borst.'

'Tja, ik wist wel dat je er zo over zou denken. Ik vertel je alleen maar wat ze gezegd heeft.'

'Daar heeft ze tegen mij niets over gezegd.'

'Daar heeft ze de kans niet voor gehad. Je was half bewusteloos. Ze zei dat ze er met je over zou praten tijdens haar volgende ronde.'

'Ze kunnen me hier niet houden. Dat is afschuwelijk. Ik word hier gek.'

'Dat heb ik haar al verteld. Ik wilde je alleen maar laten weten dat ik graag bereid ben om je te helpen. Ik kan het ontslagformulier laten tekenen, zodat je naar huis kunt. Ik zou niet echt bij je in huis hoeven blijven. Dat appartement van jou lijkt me trouwens sowieso te klein voor meer dan een persoon. Maar ik zou in elk geval twee keer per dag langs kunnen komen om te zien of alles in orde is, of je nog iets nodig hebt of zo.'

'Daar moet ik eerst even over nadenken,' zei ik met tegenzin. Maar ik had al lang begrepen dat ik geen kant uitkon. Nu Henry er niet was, Rosie haar zaak dichtgedaan had en Jonah ook al de stad uit was, zou ik er helemaal alleen voor staan. En eerlijk gezegd voelde ik me helemaal niet zo best. Mijn lichaam vertikte het gewoon om te doen wat ik wilde. Ouden van dagen, hulpbehoevenden en zieken moeten dezelfde gevoelens van verbittering en wanhoop ervaren. Al-

leen al het rechtop zitten putte me uit, en ik wist heel goed dat ik thuis nauwelijks uit de voeten zou kunnen. Maar hier blijven was uitgesloten. Ziekenhuizen zijn gevaarlijk. Mensen maken fouten. Verkeerd bloed, verkeerde medicijnen, verkeerde operaties, verkeerde onderzoeken. Ik moest hier zo snel mogelijk vandaan.
Daniel legde zijn hand even op mijn hoofd. 'Je moet maar doen wat je zelf het beste lijkt. Ik kom zo gauw mogelijk weer terug.'
Hij was verdwenen voordat ik kon protesteren.
Ik drukte de knop van de verpleegsterskamer op de intercom in.
Een hol klinkende stem meldde zich. 'Ja?'
'Kan meneer Kohler in drie-nul-zes bezoek ontvangen?'
'Voor zover ik weet wel.' De stem van de verpleegster klonk alsof ze in een oude blikken bus sprak, met op de achtergrond gekuch en geruis.
'Kan ik een rolstoel krijgen? Ik zou graag even bij hem langs gaan.'
Het duurde twintig minuten voordat iemand er een voor me gevonden had. Ondertussen werd ik me ervan bewust dat ik te kampen had met een depressie, veroorzaakt door de dood van Olive. Niet dat we elkaar zo na hadden gestaan, maar ze had toch jarenlang een achtergrondrol gespeeld in mijn leven. Ik had haar voor het eerst gezien op de high school toen ik Ashley leerde kennen, maar ze was alweer vertrokken voordat ons derde schooljaar begon. Daarna was ze meer een gerucht dan werkelijkheid geweest... de zus die altijd ergens anders was: kostschool, Zwitserland, skiën in Utah met vrienden. Ik kon me niet herinneren dat we ooit meer dan oppervlakkig contact met elkaar hadden gehad tot twee dagen geleden, en toen had mijn mening over haar een verandering ondergaan. Nu had de dood haar verpletterd als een insekt, net zo abrupt als een vlieg die op een vensterbank wordt doodgemept. Het had een schokeffect teweeg gebracht en ik was de emotionele klap nog niet te boven. Er spookten voortdurend beelden door mijn hoofd terwijl ik de onherroepelijkheid van wat er gebeurd was probeerde te bevatten. Niemand had in deze

zaak mijn mening gevraagd en ik had nergens in toegestemd. De dood is een belediging, en ik had de pest in over zijn onverwachte verschijning, net als bij een onaangekondigd bezoek van een onsympathiek familielid. Ik vermoedde dat de prop in mijn borst daar nog wel geruime tijd zou blijven zitten; niet direct verdriet, maar een harde vuist van treurigheid.
Ik rolde mezelf door de gang naar kamer 306. De deur was dicht en Bass stond in de gang. Hij keek afwezig mijn richting uit toen ik aan kwam rijden. Bass had het gladde, knappe uiterlijk van iemand in een achttiende-eeuws olieverfschilderij. Hij had een ovaal, jongensachtig gezicht met een glad voorhoofd en doffe bruine ogen. Zijn mond was zinnelijk en zijn houding hooghartig. Hij had fijn donker haar, wijkend bij de slapen, een beetje aan de lange kant en enigszins piekerig waar het in een punt op zijn voorhoofd samenkwam. Hij had een Afghaanse windhond bij zich moeten hebben, een dier met zijdeachtige oren en een lange, aristocratische snuit.
'Hallo, Bass. Ik ben Kinsey Millhone. Herinner je je mij nog?'
'Natuurlijk,' zei hij. Hij boog zich voorover en drukte een beleefdheidskusje op mijn wang, meer geluid dan contact. Hij keek somber. We zwegen allebei; een van die ongemakkelijke langgerekte momenten waarin je wanhopig probeert iets te zeggen te vinden. Zijn zus was dood. Het was nauwelijks het moment voor uitbundige hartelijkheid, maar ik wist me toch niet goed raad met de wederzijdse gêne van onze ontmoeting.
'Waar is Terry?'
Hij keek naar de deur. 'Ze zijn het verband aan het verwisselen. Ze zullen zo wel klaar zijn. Hij gaat naar huis zodra de dokter het ontslagformulier getekend heeft. Hoe is het met je? Ze hebben ons verteld dat je aan de andere kant van de gang lag.'
'Met mij gaat het best. Het spijt me van Olive,' zei ik, en dat meende ik oprecht.
'God, het is allemaal zo krankzinnig. Ik heb geen idee wat er aan de hand is.'

'Hoe is het met je moeder? Hoe houdt die zich er onder?'
'Dat gaat wel. Ze is een ouwe taaie, hoor. Ze heeft het er ontzettend moeilijk mee, maar ze heeft een ruggegraat van staal. Ash is er helemaal kapot van. Zij en Olive zijn altijd dikke vriendinnen geweest,' zei hij. 'Hoe staat het met jou? Je ziet eruit alsof je een pak slaag hebt gehad.'
'Ik mankeer niet zoveel. Het is de eerste keer dat ik uit bed ben en ik voel me zo slap als een vaatdoek.'
'Van wat ik gehoord heb, mag je van geluk spreken dat je nog leeft.'
'Dat kan je wel zeggen. Ik heb er nog even over gedacht om dat pakje zelf op te rapen, maar toen kwam Olive net aanrijden en ik ging haar helpen met het uitladen van de boodschappen. Logeer je bij je moeder?'
Hij knikte. 'Ik ben donderdagavond aangekomen en toen belde Olive gisteren om te zeggen dat ze dat feestje gaf. Het lijkt al weer jaren geleden. Ik was aan het zwemmen voordat ik me om zou gaan kleden toen Ebony naar de rand van het zwembad kwam. Ik begreep niet wat er met haar aan de hand was. Je kent Eb. Altijd beheerst, altijd tot in de puntjes verzorgd. Nou, ze zag eruit als een wilde. Ik klom op de kant en ze zei dat er bij Olive een bom was ontploft en dat ze dood was. Ik dacht dat ze een grapje maakte en begon te lachen. Het was zo vergezocht, ik kon er gewoon niets aan doen. Ze sloeg me keihard in mijn gezicht en toen besefte ik dat ze het meende. Wat is er gebeurd? Terry kan het zich niet herinneren en de politie laat ook niet veel los.'
Ik vertelde hem wat ik wist, waarbij ik de gruwelijke details van Olives verwondingen wegliet. Terwijl ik praatte begon ik opeens over mijn hele lichaam te trillen. Ik klemde mijn kaken op elkaar en probeerde me te ontspannen. 'Sorry,' zei ik.
'Het is mijn schuld. Ik had er niet over moeten beginnen,' zei hij. 'Het was niet mijn bedoeling om het je allemaal nog een keer te laten doormaken.'
Ik schudde het hoofd. 'Dat geeft niks. Het gaat wel weer. Ze hebben mij ook niet veel verteld. Heus, ik denk dat het helpt. Die lege plekken zijn zo frustrerend.' Ik zocht naar

een verhaaldraad om fragmenten aan op te hangen. Ik was de avond en de nacht helemaal kwijt. Alles vanaf half vijf 's middags was uit mijn geheugen gewist. Hij aarzelde even en vertelde me toen hoe het hem verder vergaan was. Ash was al vertrokken op weg naar Olive om haar te helpen bij de voorbereidingen voor het feest. Zodra hij gehoord had van de explosie, had hij wat kleren aangeschoten en hij en Ebony waren in de auto gesprongen. Toen ze bij Olives huis aankwamen, zagen ze nog net hoe Terry in de ambulance geschoven werd. Ik werd half bewusteloos op een brancard gelegd. Olive lag nog altijd bij de heg, met een deken over haar heen.

Bass' relaas van de gebeurtenissen klonk vlak, als een nieuwsbericht. Hij was kalm, zijn toon onpersoonlijk. Hij keek me niet aan. Ik staarde de gang in waar een somber kijkende arts stond te praten met een ouder echtpaar dat op een bank zat. Het zou wel geen goed nieuws zijn, want de vrouw zat nerveus met het handtasje op haar schoot te frommelen.

Op dat moment herinnerde ik me dat ik Bass had gezien...een van de gezichten die me gespannen aanstaarden, boven me zwevend als ballonnen aan een touwtje. Tegen die tijd verkeerde ik al in shocktoestand en lag ik onbedwingbaar te rillen, ondanks de dekens die ze om me heen hadden geslagen. Ebony herinnerde ik me niet. Misschien hadden ze haar bij het begin van de oprit tegengehouden om haar het schouwspel van de slachting te besparen. De bom had Olives vlees aan stukken gereten. Brokken van haar lichaam waren tegen de heg gekwakt, als klonters sneeuw.

Ik sloeg een hand voor mijn verhitte, betraande gezicht. Bass klopte me gegeneerd op mijn schouder terwijl hij geruststellende woordjes mompelde, van streek doordat hij mij van streek had gemaakt, zich waarschijnlijk afvragend hoe hij van me af kon komen. Ik werd mijn emoties weer de baas en haalde diep adem. 'Hoe staat het met Terry's verwondingen?'

'Valt nogal mee. Een snee op zijn voorhoofd. Een paar gekneusde ribben doordat de explosie hem de garage in slin-

gerde. Ze hebben hem ter observatie opgenomen, maar verder schijnt hij in orde te zijn.'
Achter ons ging de deur van Terry's kamer open. Er kwam een verpleegster naar buiten met een roestvrij stalen bekken vol gebruikt verband. Ze scheen gehuld te gaan in aroma's van medicinale alcohol en jodiumtinctuur en de kenmerkende lucht van kleefpleister.
'U kunt nu naar binnen. De dokter heeft gezegd dat hij naar huis mag. Als hij klaar is om naar beneden te gaan zullen we een rolstoel brengen.'
Bass ging als eerste naar binnen. Ik rolde mezelf achter hem aan. Een leerling-verpleegster was het nachtkastje aan het opruimen waar de verpleegster bezig was geweest. Terry zat op de rand van het bed zijn overhemd dicht te knopen. Ik ving een glimp op van zijn ingetapete ribben onder de losse slippen van zijn overhemd en ik keek een andere kant op. Zijn torso was melkwit en onbehaard, smal en nauwelijks gespierd. Ziekte en letsel zijn zulke persoonlijke aangelegenheden. Ik wilde de details van zijn zwakte niet kennen.
Hij zag er gehavend uit, met een donkere streep over zijn voorhoofd waar de hechtingen zaten. Een pols zat in het verband, vanwege snijwonden misschien, of brandwonden. Zijn gezicht was bleek, zijn snor stond grimmig, zijn donkere haar zat door de war. Hij leek kleiner dan anders, alsof hij door Olives dood gekrompen was.
Ebony verscheen in de deuropening en nam met een vluchtige blik de scène in zich op. Ze aarzelde, en besloot te wachten tot de leerling-verpleegster klaar was. De kamer leek plotseling ondraaglijk vol. Ik had dringend behoefte aan frisse lucht. 'Ik kom zo weer terug,' mompelde ik terwijl ik mezelf naar buiten rolde. Ebony liep achter me aan tot in de conversatieruimte, een nis met een groene bank, twee bijpassende stoelen, een namaakpalm en een asbak. Ze ging zitten en zocht in haar handtas naar haar sigaretten. Ze stak er een op en zoog de rook naar binnen alsof het zuurstof was. Ze zag er volkomen beheerst uit, maar het was duidelijk dat de ziekenhuisatmosfeer haar uit haar doen bracht. Ze plukte een pluisje van de schoot van haar rok.

'Ik begrijp er helemaal niets van,' zei ze op scherpe toon. 'Wie zou Olive nu willen doden? Ze heeft niemand iets misdaan.'
'Ze hadden het niet op Olive gemunt. Terry was het doelwit. Het pakje met de bom er in was aan hem gericht.'
Ebony's blik schoot omhoog naar de mijne en hield die vast. Een lichtroze blos trok over haar lijkbleke gezicht. De hand met de sigaret maakte een krampachtige beweging en er viel sigaretteas op haar schoot. Ze stond abrupt op en klopte haar rok af.
'Dat is belachelijk,' zei ze bits. 'De politie zei dat er nadat de bom was ontploft niets meer van het pakje over was.' Ze drukte haar sigaret uit.
'Nou, toch wel iets,' zei ik. 'Trouwens, ik heb het pakje zien liggen. Terry's naam stond er op, niet de hare.'
'Dat geloof ik niet.' Er kringelde nog wat rook omhoog van de uitgedrukte sigarettepeuk. Ze pakte hem weer op en doofde de gloeiende as met haar vingertoppen. Ze wreef de peuk helemaal stuk. De bruine sliertjes tabak boden een haast obscene aanblik.
'Ik vertel je alleen maar wat ik gezien heb. Ook al zou Olive het doelwit zijn geweest, het pakje was aan hem geadresseerd.'
'Onzin! Die ellendeling! Vertel me niet dat Olive gestorven is omdat zij het pakje opraapte in plaats van hij!' Haar ogen schoten vol tranen en ze deed wanhopige pogingen om zichzelf weer onder controle te krijgen. Ze begon geagiteerd op en neer te lopen.
Ik draaide de rolstoel haar richting uit. 'Welke ellendeling, Ebony? Over wie heb je het?'
Ze ging plotseling weer zitten en drukte beide handpalmen tegen haar ogen. 'Niemand. Het spijt me. Ik had geen idee. Ik dacht dat iemand het op haar gemunt had, wat al afschuwelijk genoeg was. Maar om per vergissing te sterven. Mijn god! In elk geval heeft ze niet geleden. Ze hebben me verzekerd dat ze op slag dood was.' Een snik ontsnapte haar. Ze hield haar handen voor haar mond en ademde enkele malen diep in en uit in haar handpalmen.
'Weet jij wie haar gedood heeft?'

'Natuurlijk niet! Stel je voor! Wat voor soort monster denk je dat ik ben? Mijn eigen zus...' Haar stem, een schelle mengeling van verontwaardiging en woede, brak en ze begon hartverscheurend te huilen. Ik wilde haar geloven, maar ik kon er niet zeker van zijn. Ik was moe, en ik was er te nauw bij betrokken om echt en onecht van elkaar te kunnen onderscheiden. Ze keek me aan met een gezicht dat nat was van de tranen.
'Olive zei dat ze niet met jou mee zou stemmen,' zei ik, om te zien wat voor effect dat zou hebben.
'Wat ben je toch een kreng!' schreeuwde ze tegen me. 'Hoe durf je! Maak dat je wegkomt!'
Bass verscheen in de deuropening en staarde me met opgetrokken wenkbrauwen aan. Ik duwde mezelf een stukje achteruit en liet de rolstoel om zijn as draaien. Ik rolde de gang door, voorbij een kamer waar iemand met zachte, wanhopige stem om hulp lag te roepen. Een doorzichtige plastic slang liep vanonder het laken naar een grote glazen pot met urine onder het bed. Het zag eruit als limonade.
Olive haalde meestal de post binnen. Ik had haar de dag tevoren het stapeltje brieven nonchalant op het haltafeltje zien gooien. Het bleef mogelijk dat iemand het op haar gemunt had, ook al was het pakje aan hem geadresseerd. Ik kon me eerlijk gezegd niet herinneren wat ze me precies gezegd had over wiens kant ze zou kiezen in de machtsstrijd tussen Ebony en Lance. Misschien had hij het wel gedaan, met de bedoeling de anderen in het gareel te brengen.
Toen ik op mijn kamer terug kwam, zat Darcy daar op me te wachten. 'Andy is verdwenen,' zei ze.

HOOFDSTUK ZEVENTIEN

Ik kroop voorzichtig weer in bed terwijl Darcy me op de hoogte bracht van de details. De vorige dag was Andy rond tien uur in geagiteerde toestand op kantoor verschenen. Mac had er op gestaan dat er tot vijf uur door werd gewerkt, ondanks het feit dat het oudejaarsdag was. Andy had een lunchafspraak op zijn agenda en ook een afspraak om twee uur met een van de adjunct-directeuren van het bedrijf. Darcy zei dat Andy zich paniekerig gedroeg. Ze probeerde hem zijn telefonische boodschappen door te geven, maar hij snoerde haar de mond, haastte zich zijn kantoor in en begon zijn persoonlijke bezittingen in zijn aktentas te stoppen, samen met zijn kantooragenda. Voordat ze het wist was hij verdwenen.
'Het was gewoon te gek voor woorden,' zei ze. 'Zoiets heeft hij nog nooit eerder gedaan. En waarom de kantooragenda? Die had ik al helemaal nageplozen zonder iets te vinden, maar waarom zou hij die nou meegenomen hebben?'
'Misschien is hij wel paranormaal begaafd.'
'Dat zou je haast denken. Nou we hebben hem die dag verder niet meer gezien, dus na kantoortijd ben ik naar zijn huis gereden.'
'Ben je helemaal naar Elton gegaan?'
'Ja. Ik vond dat hij maar raar deed. Het was net of hij op de vlucht ging en daar wilde ik het mijne van weten. Ik zag zijn auto nergens in de buurt van zijn appartement staan, dus ik ben erheen gegaan en heb door het raam naar binnen gekeken. Het leek er wel een zwijnestal en al het meubilair was verdwenen. Er stond nog een kaarttafeltje in de woonkamer, maar dat was zo'n beetje alles.'
'Dat is alles wat hij heeft,' zei ik. 'Het ziet ernaar uit dat Janice hem het vel over de oren heeft gehaald en ze roept nog altijd om meer.'
'Ze kan roepen wat ze wil, Kinsey, de man is verdwenen. Zijn buurman zag me door het raam kijken en kwam naar

buiten om te vragen wat ik aan het doen was. Ik heb hem de waarheid verteld. Ik zei dat we bij dezelfde zaak werkten en dat we ons zorgen maakten omdat hij plotseling vertrokken was zonder ons te zeggen wat we met zijn afspraken moesten doen. Die man zegt dat hij Andy gisterochtend weg heeft zien gaan met twee grote koffers die tegen zijn benen sloegen. Dat was rond een uur of half tien. Hij moet rechtstreeks naar kantoor zijn gekomen, heeft zijn spullen bij elkaar gezocht en is weer vertrokken. Ik heb gisteravond en vanmorgen zo'n beetje om het uur zijn huis gebeld, maar ik krijg alleen maar zijn antwoordapparaat.'

Ik dacht even na. 'Heeft er een bericht over Olives dood in de kranten gestaan?'

'Vanmorgen pas, en toen was hij al weg.'

Ik voelde een opwelling van energie, gedeeltelijk rusteloosheid en gedeeltelijk angst. Ik sloeg het beddegoed terug en zwaaide mijn benen over de rand van het bed. 'Ik moet hier weg.'

'Mag je wel op?'

'Ja hoor. Geen enkel probleem. Kijk eens in de kast of Daniel kleren voor me meegebracht heeft.' De groene cocktailjurk was verdwenen, waarschijnlijk de avond tevoren op de EHBO-afdeling stukgeknipt, samen met mijn sjofele ondergoed.

'Die is leeg, op dit na,' zei ze. Ze hield mijn handtas omhoog.

'Prima. Dan kunnen we gaan. Zolang ik mijn sleutels maar heb, kan ik thuis wat kleren ophalen. Ik neem aan dat je met de auto bent?'

'Kan je zomaar weggaan zonder toestemming van een arts?'

'Die heb ik. Ze heeft tegen Daniel gezegd dat ik weg mocht, op voorwaarde dat hij een oogje op me zou houden, en hij zei dat hij dat zou doen.'

Darcy keek me onzeker aan. Waarschijnlijk vermoedde ze dat mijn verhaal niet helemaal klopte.

'God, maak je daar toch geen zorgen over, Darcy. Het is niet tegen de wet om een ziekenhuis te verlaten. Het is geen gevangenis. Ik ben hier vrijwillig,' zei ik.

'Maar de rekening dan?'

'Hè, doe toch niet zo moeilijk. Mijn verzekering betaalt, dus ik ben ze geen cent schuldig. Ze hebben mijn adres. Als ze me nodig hebben, weten ze me heus wel te vinden.'
Darcy was duidelijk niet overtuigd, maar ze haalde haar schouders op en hielp me in de rolstoel en duwde me de gang door naar de lift. Een van de leerling-verpleegsters staarde ons aan toen we voorbij kwamen, maar ik zwaaide naar haar en blijkbaar besloot ze dat ze zich geen zorgen hoefde te maken.
Toen we beneden kwamen, leende Darcy me haar jas en ik bleef in de glazen hal wachten terwijl zij haar auto ging halen. Daar zat ik in mijn geleende jas, met ziekenhuisslofjes aan mijn voeten en mijn handtas op schoot. Ik wist niet wat ik zou doen als mijn dokter langs zou komen. Mensen die door de hal liepen wierpen me vluchtige blikken toe, maar niemand zei iets tegen me. Dat ziek zijn was allemaal wel leuk en aardig, maar ik had werk te doen.
Om ongeveer kwart over drie ging ik mijn appartement binnen, waar al de muffe geur van verwaarlozing leek te hangen. Ik was één dag weggeweest, maar het leken wel weken. Darcy kwam achter me aan naar binnen, met een schuldige uitdrukking op haar gezicht omdat ze zag dat ik nog altijd wankel op mijn benen stond. Ik rustte even uit op de bank en begon me toen aan te kleden.
'Wat nu?' vroeg ze.
Ik wurmde me in mijn spijkerbroek. 'Laten we naar de zaak gaan en kijken of Andy misschien iets heeft achtergelaten,' zei ik. Ik trok een sweatshirt aan en liep de badkamer in, waar ik mijn tanden poetste. In de spiegel zag ik een gezicht zonder wenkbrauwen. Mijn wangen zagen eruit alsof ik te lang in de zon had gelegen. Ik zag wat schrammen en kneuzingen, maar verder niets ernstigs. Ik deed het medicijnkastje open en haalde mijn nagelschaartje te voorschijn. Ik knipte de tape op mijn rechterarm door, wikkelde het verband los en keek hoe het er daar onder mee gesteld was. Zag er goed uit. Brandwonden genezen trouwens toch beter in de open lucht. Voor alle zekerheid nam ik een pijnstiller en stak mijn duim op tegen mijn spiegelbeeld. Met mij was alles in orde.

Ik pakte het dossier dat ik gemaakt had nadat ik Andy's vuilnis had doorgewroet. Ik trok sportsokken en tennisschoenen aan en pakte een jack van de kapstok voordat ik weer afsloot. In Santa Teresa wordt het na zonsondergang meestal tamelijk fris en ik wist niet zeker hoe lang ik weg zou blijven.

Buiten leek het meer augustus dan januari. Het was onbewolkt en de zon stond hoog aan de hemel. Er stond geen zuchtje wind en de trottoirs fungeerden als zonnepanelen die het zonlicht absorbeerden en warmte afgaven. Daniel was nergens te bekennen en daar was ik dankbaar voor. Hij zou ongetwijfeld mijn verdwijning uit het ziekenhuis hebben afgekeurd. Ik zag mijn VW twee deuren verderop geparkeerd staan en ik was blij dat iemand zo attent was geweest om hem naar mijn huis te rijden. Ik was nog niet in staat om te rijden, maar het was prettig om te weten dat hij er stond.

Darcy reed ons naar de zaak. Er was nauwelijks verkeer. Het hele centrum scheen verlaten, alsof er een atoomaanval had plaatsgevonden. Het parkeerterrein was leeg, afgezien van een verzameling bierflessen rond de kiosk, overblijfselen van een oudejaarsavond-braspartij.

We gingen naar boven via de trap aan de achterkant. 'Weet je wat me dwars zit?' vroeg ik aan Darcy.

Ze maakte de deur open en keek me aan. 'Nou?'

'Laten we nou eens aannemen dat Andy in het complot zit. Daar ziet het wel naar uit, ook al hebben we op dit moment nog geen bewijs, waar of niet?'

'Het lijkt me van wel.'

'Ik begrijp niet waarom hij zich daarvoor geleend heeft. We hebben het nu over een ernstige vorm van verzekeringsfraude. Als hij gesnapt wordt, is zijn carrière naar de bliksem. Dus wat zit er voor hem aan vast?'

'Het moet een kwestie van geld zijn,' zei Darcy. 'Als Janice hem uitgekleed heeft, kan hij dat waarschijnlijk maar al te goed gebruiken.'

'Mogelijk,' zei ik. 'Dat houdt in dat iemand hem goed genoeg kende om er vrijwel zeker van te zijn dat hij voor de verleiding zou bezwijken. Andy is altijd al een zak geweest,

maar ik heb hem nooit verdacht van oneerlijkheid.'
We stonden voor de glazen deuren van California Fidelity. 'Maar wat wil je daar nou precies mee zeggen?' vroeg ze terwijl ze de deur openmaakte. Ze deed het licht aan en gooide haar handtasje op een stoel.
'Dat weet ik eigenlijk niet. Ik denk dat ik me afvraag of er niet nog iets anders aan de hand was. Hij bevindt zich in de ideale positie om met de schadeformulieren te knoeien, maar het blijft een groot risico. En waarom die plotselinge paniek? Wat is er mis gegaan?'
'Waarschijnlijk had hij er niet op gerekend dat Olive er het leven bij in zou schieten. Dat moet er toch ook op een of andere manier mee te maken hebben,' zei ze.
We gingen Andy's kantoor binnen. Darcy keek belangstellend toe terwijl ik het vertrek systematisch doorzocht. Het zag er naar uit dat alle dossiers nog aanwezig waren, maar al zijn persoonlijke bezittingen waren weggehaald: de foto van zijn kinderen die op zijn bureau had gestaan, zijn in leer gebonden afsprakenboek, adresboek, kantooragenda, zelfs een paar ingelijste onderscheidingen die aan de muur hadden gehangen. Hij had een studioportret van Janice laten staan, een dertien-bij-achttien kleurenopname van een hartvormig gezicht met getoupeerd haar en een spitse kin. Ze had inderdaad iets boosaardigs, zelfs als ze naar de camera glimlachte. Andy had een van haar voortanden zwart gemaakt en wat haartjes uit haar neus laten groeien. Door haar neusvleugels iets breder te maken, had hij een varkensachtig effect bereikt. De volwassen mens Andy Motycka die te kennen gaf hoe hij over zijn echtgenote dacht.
Ik ging in zijn draaifauteuil zitten en liet mijn blik door het kantoor dwalen, terwijl ik me afvroeg hoe ik meer te weten kon komen. Waar zou hij heengaan en waarom zou hij op die manier vertrokken zijn? Had hij de bom gemaakt? Darcy zei niets. Blijkbaar wilde ze mijn gedachtenproces niet onderbreken.
'Heb jij het nummer van Janice?' vroeg ik.
'Ja, in mijn bureau. Wil je dat ik haar bel om te vragen of zij weet waar hij is?'
'Laten we dat maar doen. Probeer maar een smoes te ver-

zinnen en vertel haar verder niets. Als ze niet weet dat hij er vandoor is, moeten we haar maar niet wijzer maken dan ze is.'
'Okay,' zei Darcy. Ze liep naar de receptie. Ik pakte het dossier dat ik meegenomen had en haalde alle papieren eruit. Het was duidelijk dat Andy serieuze financiële problemen had. Uit de klaagzang van Janice over de te late alimentatiebetaling en de van een rood randje voorziene aanmaningen viel duidelijk op te maken dat hij onder zware druk stond. Ik las de verschillende versies van de brieven aan zijn geliefde nog eens door. Dat moest me een Kerstavond geweest zijn die ze samen hadden doorgebracht. Misschien was hij er wel met háár vandoor.
Andy's kalenderblok stond nog op zijn vloeiblad, twee pagina's naast elkaar, samengehouden door twee gebogen metalen ringen zodat de blaadjes plat bleven liggen. Hij had wel zijn in leer gebonden afsprakenboek meegenomen, maar dit had hij achtergelaten. Blijkbaar was het zijn gewoonte om afspraken op beide plaatsen te noteren, zodat zijn secretaresse altijd wist waar hij uithing. Ik bladerde dag voor dag terug. Op vrijdag 24 december had hij 21.00 u omcirkeld en er de initiaal L bij geschreven. Was dat zijn geliefde? Ik werkte alle pagina's van het afgelopen halfjaar door. Dezelfde initiaal dook met onregelmatige tussenpozen steeds opnieuw op, maar ik kon er geen patroon in ontdekken.
Ik liep naar de receptie en nam het kalenderblok en het dossier mee.
Zo te horen was Darcy in gesprek met Janice.
'Uh-huh. Nou, dat zou ik echt niet weten. Zo goed ken ik hem nu ook weer niet. Uh-huh. En wat zegt je advokaat ervan? Dat zal wel waar zijn, maar ik zie niet goed wat je daarmee zou opschieten. Hoor eens, ik moet nu ophangen, Janice. Er staat hier iemand te wachten tot hij de telefoon kan gebruiken. Uh-huh, dat zou ik zeer op prijs stellen en dan laat ik het jou wel weten als we hier iets horen. Ik weet haast wel zeker dat hij gewoon het weekend vrij heeft genomen en vergeten is om dat tegen ons te zeggen. Heel erg bedankt. Jij ook. Dag!'
Darcy legde de hoorn neer en zuchtte diep. 'Mijn god, wat

is dat mens een ouwehoer! Ik kreeg me toch een tirade te horen! Ze is razend op hem. Hij had gisteravond langs zullen komen om de kinderen op te halen maar hij heeft niets van zich laten horen. Ze stond op het punt om uit te gaan en moest haar plannen toen wijzigen. Geen telefoontje, geen verontschuldiging, helemaal niets. Ze is ervan overtuigd dat hij er vandoor is en ze is van plan om er politiewerk van te maken.'

'Dat heeft geen enkele zin, tenzij hij tweeënzeventig uur vermist is,' zei ik. 'Waarschijnlijk zit hij ergens met dat grietje waar hij zo verkikkerd op is.' Ik liet Darcy de brieven zien die ik uit zijn vuilnis had gevist.

Het was prachtig om te zien hoe de geamuseerde uitdrukking op haar gezicht plaats maakte voor weerzin. 'O god, zou jij hem aan je jeweetwel willen laten sabbelen?'

'Alleen als ik er eerst arsenicum op gesmeerd had.'

Darcy trok haar wenkbrauwen op. 'Ze moet enorme prammen hebben. Hij wist niet waarmee hij ze moest vergelijken.'

Ik keek mee over haar schouder. 'Met voetballen, maar dat heeft hij weer doorgetikt. Klonk hem waarschijnlijk niet romantisch genoeg.'

Darcy schoof de brieven weer in de map. 'Dat was kittelende lectuur. Sorry, flauw grapje. Wat nu?'

'Ik weet het niet. Hij heeft zijn adresboek meegenomen, maar ik heb wel dit.' Ik bladerde het kalenderblok door en liet haar de hier en daar met potlood neergeschreven initialen zien. Ik zag hoe Darcy's geestelijke radertjes begonnen te draaien.

'Ik vraag me af of ze hem ooit hier gebeld heeft,' zei ze. 'Dat moet haast wel, denk je ook niet?'

Ze trok de rechter bovenla van haar bureau open en haalde er het register met ingekomen telefoongesprekken uit. Het was een doorschrijfsysteem met een geel permanent register en daar bovenop witte geperforeerde originelen. Als er een telefoontje binnenkwam voor iemand die op dat moment niet aanwezig was, noteerde ze datum en tijdstip, de naam van degene die belde en het nummer dat teruggebeld kon worden, waarna ze aan de rechterkant een van de alternatieven: 's.v.p. terugbellen,' 'belt zelf terug,' of 'boodschap' aankruiste. Daarna werd het bovenste strookje afgescheurd en aan de betrokkene overhandigd. Darcy bladerde terug tot 1 december.

Het duurde niet lang voordat we haar gevonden hadden. Door de in het register genoteerde ingekomen telefoontjes voor Andy te vergelijken met het kalenderblok, kwamen we er achter dat er iemand meerdere malen gebeld had en dan een telefoonnummer achterliet, maar geen naam, altijd een of twee dagen vóór Andy's afspraakjes...als het dat tenminste waren.

'Hebben jullie hier een telefoonregister?' vroeg ik.

'Ik geloof het niet. Vroeger hadden we er wel een, maar die heb ik al in geen maanden meer gezien.'

'Ik heb die van vorig jaar in mijn kantoor. Laten we eens kijken wie er onder dat nummer vermeld staat. Laten we hopen dat het geen bedrijf is.'

Ik haalde mijn sleutels uit mijn handtas terwijl Darcy achter me aan liep.

'Die sleutels had je in horen te leveren,' zei ze op licht verwijtende toon.

'O ja? Dat wist ik niet.'

Ik maakte de deur van mijn kantoor open, liep naar de archiefkast en haalde het telefoonregister uit de onderste la te voorschijn. Het nummer stond, althans vorig jaar, op naam van achternaam Wilding, voornaam Lorraine.

'Denk je dat zij het is?' vroeg Darcy.

'Ik weet een prima manier om daar achter te komen,' zei ik. Het bijbehorende adres bevond zich slechts twee blokken van mijn appartement, niet ver van het strand.

'Weet je zeker dat je je goed voelt? Volgens mij maak je je veel te druk.'

'Maak je nou maar geen zorgen. Ik voel me prima,' zei ik. In werkelijkheid voelde ik me helemaal niet zo geweldig, maar ik wilde pas aan rusten denken nadat er eerst een paar vragen beantwoord waren. Adrenaline hield me op de been – geen slechte energiebron. Als die het af liet weten zat je natuurlijk in de narigheid, maar voorlopig leek het me beter om in beweging te blijven.

HOOFDSTUK ACHTTIEN

Ik liet me door Darcy afzetten. Als ik iemand moet ondervragen werk ik het liefst alleen, vooral als ik er niet zeker van ben met wie ik te maken krijg. Mensen zijn handelbaarder als er geen derden bij zijn; er is meer ruimte voor improvisatie en meer onderhandelingsruimte.
Het complex was opgetrokken in Spaansc stijl en dateerde waarschijnlijk uit de dertiger jaren. De oorspronkelijk rode dakpannen waren in de loop der tijd roestbruin geworden en het stucwerk, dat ooit spierwit moest zijn geweest, was nu crèmekleurig. In de voortuin stonden groepjes kleurige planten. Een wel twintig meter hoge pijnboom zorgde voor schaduw in de tuin. Bougainvillea slingerde zich langs de dakrand, een wirwar van roodpaarsc bloesems die ook door de dakgoot kropen en in lange slierten naar beneden hingen. Houten luiken, donkerbruin geschilderd, flankeerden de ramen. In de loggia was het kil en het rook er naar vochtige aarde.
Ik klopte aan bij appartement D. Andy's auto stond niet in de straat, maar er was toch altijd een mogelijkheid dat hij hier was. Ik had geen idee wat ik zou zeggen als hij aan de deur kwam. Het was bijna zes uur en ik kon ruiken dat er binnen gekookt werd, iets met uien en selderij en boter. De deur ging open en ik voelde een schok van verbazing. Andy's ex-vrouw staarde me aan.
'Janice?' zei ik ongelovig.
'Ik ben Lorraine,' zei ze. 'Janice is mijn zus.'
Zodra ze haar mond opendeed, begon de gelijkenis te vervagen. Ze moest midden veertig zijn, en ze was nog altijd een knappe vrouw. Ze had hetzelfde blonde haar als Janice en dezelfde scherpe kin, maar haar ogen waren groter en haar mond was voller. Dat gold voor haar hele lichaam. Ze was even lang als ik, waarschijnlijk een pond of tien zwaarder, en het was goed te zien waar die ponden zich verzameld hadden. Ze had haar bruine ogen zwart omlijnd en

haar valse wimpers waren overdreven lang. Ze droeg strakzittende witte katoenen shorts en een haltertopje. Haar benen waren ooit fraai gevormd geweest, maar de spieren waren door gebrek aan lichaamsbeweging verslapt. Haar huidskleur leek me van een zonnebank afkomstig te zijn – het elektrische strand.
Andy moet in de zevende hemel zijn geweest. Ik heb mannen gekend die steeds weer opnieuw op hetzelfde type vrouw verliefd worden, maar meestal zijn de overeenkomsten niet zo in het oog springend. Ze leek sprekend op Janice. Het verschil was dat Lorraine weelderig gevormd was, terwijl op de vroegere mevrouw Motycka eerder kwalificaties als mager, dor en schraal van toepassing waren. Te oordelen naar Andy's brief, was Lorraine vrijgeviger met haar affecties dan Janice ooit geweest was. Ze deed dingen met hem die zijn zinsbouw volledig ontregelden. Ik vroeg me af of zijn verhouding met Lorraine voor of na zijn scheiding begonnen was. Het was hoe dan ook een gevaarlijke affaire. Als Janice erachter kwam, zou ze hem helemaal laten bloeden. Het kwam bij me op dat iemand hier misschien gebruik van had gemaakt om zich van zijn medewerking te verzekeren.
'Ik ben op zoek naar Andy,' zei ik.
'Wie?'
'Andy Motycka, uw zwager. Ik ben van de verzekeringsmaatschappij waar hij werkt.'
'Maar waarom komt u dan hier? Hij en Janice zijn gescheiden.'
'Hij heeft me dit adres gegeven voor het geval ik hem ooit dringend nodig zou hebben.' 'O ja?'
'Waarom zou ik anders hier zijn?'
Ze keek me wantrouwend aan. 'Hoe goed kent u Janice?'
Ik haalde mijn schouders op. 'Ik ken haar nauwelijks. Ik heb haar wel eens op feestjes van de zaak gezien, voor ze uit elkaar gingen. Toen u de deur opendeed dacht ik dat zij het was, zoveel lijkt u op haar.'
Daar dacht ze even over na. 'Waarom zoekt u Andy?'
'Hij is gisteren weggegaan en niemand schijnt te weten waar naartoe. Heeft hij iets tegen u gezegd?'
'Niet echt.'

'Vindt u het goed dat ik binnenkom? Misschien kunnen we erachter komen wat er aan de hand is.'
'Vooruit dan maar,' zei ze na enige aarzeling. 'Hij heeft me nooit verteld dat hij iemand dit adres gegeven heeft.'
Ze ging me voor het appartement in. Via een kleine betegelde hal kwamen we een grote woonkamer binnen. Het appartement zag eruit alsof het gemeubileerd was door een verhuurbedrijf. Alles was nieuw, mooi en onpersoonlijk. Op de salontafel van koper en glas stond een dertig centimeter hoog sparretje waarin met snoep gevulde miniatuur-wandelstokjes hingen, maar dat was de enige aanwijzing dat het pas geleden Kerstmis was geweest.
Lorraine zette de televisie uit en wees naar een stoel. De bekleding voelde aan als kunstleer. Ze ging zitten en trok het kruis van haar shorts naar beneden zodat de naad zich niet in haar edele delen zou begraven. 'Waar zei u dat u Andy van kende? Werkt u voor hem?'
'Niet echt voor hem, maar voor dezelfde maatschappij. Wanneer hebt u hem voor het laatst gezien?'
'Drie dagen geleden. Ik heb hem donderdagavond nog aan de telefoon gehad. Hij had de kinderen op oudejaarsavond, dus ik zou hem sowieso toch pas weer morgen hebben gezien, maar hij belt altijd, wat er ook gebeurt. Toen ik vanochtend nog niets van hem gehoord had, ben ik naar zijn huis gereden, maar daar was hij niet. Waarom wilt u hem spreken op nieuwjaarsdag?'
Ik bleef zo dicht mogelijk in de buurt van de waarheid en vertelde haar dat hij vrijdagochtend vertrokken was zonder iemand te zeggen waar hij heen ging. 'We hebben een van zijn dossiers nodig. Weet u toevallig iets van de claim waar hij mee bezig was? Ongeveer een week geleden was er brand bij Wood/Warren en ik dacht dat hij zich daarmee bezig hield.'
Er viel een ongemakkelijke stilte en het wantrouwen was weer terug. 'O?'
'Heeft hij het daar niet met u over gehad?'
'Hoe zei u ook alweer dat uw naam was?'
'Darcy. Ik ben de receptioniste. Ik geloof dat ik u een paar keer aan de telefoon heb gehad.'
Haar manier van doen werd formeel, behoedzaam.

'Juist. Nou, Darcy, hij praat met mij niet over zijn werk. Ik weet dat hij heel veel hart voor de zaak heeft en dat hij goed is in zijn werk.'
'O, zonder meer,' zei ik. 'En iedereen mag hem graag, daarom maakten we ons ook zorgen toen hij zonder iets te zeggen vertrok. We dachten dat het misschien een of andere familie-aangelegenheid was waardoor hij zo overhaast moest vertrekken. Hij heeft niet gezegd dat hij een paar dagen de stad uit moest of zo?'
Ze schudde het hoofd.
Naar haar houding te oordelen was ik er bijna zeker van dat ze er meer van wist. En ik was er net zo zeker van dat ze dat nooit zou laten blijken.
Ze zei: 'Ik wou dat ik je kon helpen, maar hij heeft er tegen mij met geen woord over gesproken. Ik zou het op prijs stellen als je me belde zodra hij weer boven water komt. Ik vind het maar niets om hier te zitten afwachten.'
'Dat kan ik me voorstellen,' zei ik. 'U kunt me zo nodig op dit nummer bereiken, en als ik iets hoor zal ik contact met u opnemen.' Ik schreef Darcy's naam en mijn eigen telefoonnummer op.
'Ik hoop dat er niets ernstigs aan de hand is.' Dat leek me de eerste oprechte opmerking die ze maakte.
'Vast niet,' zei ik. Persoonlijk was ik er vrijwel zeker van dat iets hem zozeer de stuipen op het lijf had gejaagd dat hij er vandoor was gegaan.
Ze had een paar minuten de tijd gehad om mijn wenkbrauwloze, verbrande gezicht in zich op te kunnen nemen.
'Eh, ik hoop dat het niet onbeleefd klinkt, maar heb je misschien een ongelukje gehad?'
'Een ontploffende gasgeiser,' zei ik. Ze maakte wat meelevende geluidjes en ik hoopte maar dat het leugentje me 's nachts niet uit de slaap zou houden. 'Nou, het spijt me dat ik u op uw vrije dag heb moeten lastig vallen. Ik zal het u laten weten als we iets van hem horen.' Ik stond op en zij volgde mijn voorbeeld en liep met me mee naar de voordeur.
Toen ik naar huis liep begon het al een beetje donker te worden, hoewel het pas even voor vijven was. De winterzon

was ondergegaan en het was frisjes geworden. Ik was uitgeput en wenste in stilte dat ik weer naar het ziekenhuis terug kon om daar de nacht door te brengen. Op de een of andere manier hadden die schone witte lakens iets uitnodigends. Ik had ook honger, en bij wijze van uitzondering zou ik geen bezwaar hebben gehad tegen iets voedzamers dan crackers met pindakaas, de maaltijd die me te wachten stond.
Daniels wagen stond langs de stoeprand voor mijn appartement geparkeerd. Ik keek naar binnen, min of meer verwachtend dat hij op de achterbank zou liggen slapen. Ik ging via het hek naar binnen en liep om het huis heen naar Henry's achtertuin. Daniel zat op de sintelmuur die de afscheiding vormde tussen Henry's tuin en die van de buren rechts van ons. Daniel zat met zijn ellebogen op zijn knieën een zacht, droevig deuntje op een altharmonica te spelen. Met zijn cowboylaarzen, zijn jeans en zijn spijkerjack had hij zo van de boerderij weggelopen kunnen zijn.
'Het zou onderhand tijd worden,' zei hij. Hij stak de harmonica in zijn zak en stond op.
'Ik had werk te doen.'
'Jij bent altijd maar aan het werk. Je zou eens wat beter op jezelf moeten passen.'
Ik maakte mijn voordeur open en deed het licht aan terwijl ik naar binnen liep. Ik gooide mijn handtas op een stoel en plofte neer op de bank. Daniel liep mijn keukentje in en deed de deur van de koelkast open.
'Doe jij nooit boodschappen?'
'Waarom zou ik? Ik ben nooit thuis.'
'Mijn god.' Hij haalde een kluit boter en een paar eieren te voorschijn, plus een stuk kaas dat zo oud was dat het bij de randen net donker plastic leek. Terwijl ik toekeek, doorzocht hij mijn keukenkastjes en verzamelde allerlei etenswaren. Ik liet me onderuit zakken, met mijn hoofd tegen de rugleuning van de bank en mijn voeten op de poef. Ik had geen energie meer voor gevatte opmerkingen en ik kon geen greintje kwaadheid oproepen. Dit was een man van wie ik ooit gehouden had, en hoewel die gevoelens verdwenen waren, bestond er nog altijd een zekere vertrouwdheid.
'Hoe komt het dat het hier naar zweetvoeten ruikt?' zei hij

gedachteloos. Hij was met vaardige vingers uien aan het snijden. Zo speelde hij ook piano, met briljante nonchalance.
'Dat is mijn luchtvaren. Die heeft iemand me bij wijze van gezelschap gegeven.'
Hij pakte het restant van een pond bacon op en rook er wantrouwig aan. 'Helemaal uitgedroogd.'
'Dan gaat het langer mee,' zei ik.
Hij haalde zijn schouders op, haalde de drie overgebleven plakjes bacon uit de verpakking en liet ze met een tinkelend geluid in de koekepan vallen. 'God, het nadeel van stoppen met dope is dat het eten nooit meer smaakt zoals het zou moeten smaken,' zei hij. 'Als je dope gebruikt, eet je altijd het beste maal dat je ooit gehad hebt. Helpt als je blut bent of een zwerversbestaan leidt.'
'Ben je echt van het zware spul af?'
'Bang van wel,' zei hij. 'Ook van de sigaretten en de koffie. Ik drink af en toe nog wel een biertje, maar ik heb al gezien dat je dat niet in huis hebt. Ik heb een tijdlang vijf keer per week AA-bijeenkomsten bijgewoond, maar dat gezeur over een hogere macht werd me op het laatst teveel. Er is geen hogere macht dan heroïne, neem dat maar van mij aan.'
Ik voelde mezelf langzaam wegdoezelen. Hij stond in zichzelf te neuriën, een vaag bekende melodie die zich vermengde met de geur van bacon en eieren. Wat kon er heerlijker ruiken dan een maaltijd die door iemand anders werd bereid?
Hij schudde me zachtjes wakker en zette een warm bord met een omelet erop op mijn schoot. Ik ging voorzichtig rechtop zitten en voelde me plotseling weer uitgehongerd.
Daniel zat met gekruiste benen op de grond en werkte stukken omelet naar binnen terwijl hij praatte. 'Wie woont er in dat huis?'
'Mijn huisbaas, Henry Pitts. Hij zit momenteel in Michigan.'
'Heb je iets met hem?'
Ik stopte even met kauwen. 'Hij is eenentachtig.'
'Heeft-ie toevallig een piano?'
'Ja. Waarschijnlijk volkomen ontstemd. Zijn vrouw speelde er vroeger op.'

'Ik zou er graag eens op willen spelen, als we daar binnen kunnen komen. Denk je dat hij daar bezwaar tegen zou hebben?'
'Niet in het minst. Ik heb een sleutel. Je bedoelt vanavond?'
'Morgen. Ik moet straks ergens naartoe.'
Door de manier waarop het licht op zijn gezicht viel, kon ik de rimpels rond zijn ogen zien. Daniel had uitbundig geleefd en dat was hem aan te zien. Hij zag er afgetobt uit. 'Ik kan nauwelijks geloven dat je privé-detective bent,' zei hij. 'Krankzinnig idee vind ik dat.'
'Er is niet zoveel verschil met het werken bij de politie,' zei ik. 'Ik maak geen deel meer uit van de bureaucratie, dat is alles. Ik draag geen uniform en ik hoef geen prikklok in te drukken. Ik verdien meer, maar niet zo regelmatig.'
'Het lijkt me wel een beetje gevaarlijker. Ik kan me tenminste niet herinneren dat iemand je destijds in de lucht probeerde te laten vliegen.'
'Nou, al het overige hebben ze in elk geval wèl geprobeerd. Als je verkeersdienst draait, vraag je je elke keer als je iemand aanhoudt af of de auto misschien gestolen is, of de chauffeur misschien een vuurwapen heeft. Geweld binnen het gezin is nog erger. Mensen die dronken zijn of onder de drugs zitten. Vaak maken ze net zo lief jou van kant als elkaar. Als je op de deur klopt, weet je nooit wat je te wachten staat.'
'Hoe ben je betrokken geraakt bij een moord?'
'Daar zag het in het begin niet naar uit. Je kent de familie, tussen haakjes,' zei ik.
'O ja?'
'De Woods. Herinner je je Bass Wood nog?'
Hij aarzelde even. 'Vaag.'
'Zijn zus Olive is degene die omgekomen is.'
Daniel zette zijn bord neer. 'Die mevrouw Kohler is een zus van *hem*? Ik had geen flauw idee. Wat is er in godsnaam aan de hand?'
Ik vertelde hem in grote lijnen wat ik wist. Als ik voor een cliënt werk, praat ik niet over een zaak, maar in dit geval leek het me geen kwaad te kunnen. Ik werkte immers alleen

voor mezelf. Het deed me goed om erover te praten en het gaf me de kans om wat te theoretiseren. Daniel was een goed luisteraar die precies de juiste vragen stelde. Het was weer een beetje net als vroeger, de goeie ouwe tijd, toen we urenlang konden praten over van alles en nog wat.
Tenslotte viel er een stilte. Ik trok de plaid naar me toe en drapeerde die over mijn voeten. 'Waarom ben je bij me weggegaan, Daniel? Dat heb ik nooit begrepen.'
Hij hield zijn toon luchtig. 'Het lag niet aan jou, liefje. Het was niets persoonlijks.'
'Was er een ander?'
Hij schoof wat heen en weer, niet op zijn gemak, en tikte met zijn vork tegen de rand van zijn bord. Hij legde de vork neer. Hij strekte zijn benen voor zich uit en leunde achterover op zijn ellebogen. 'Ik wou dat ik wist wat ik moest zeggen, Kinsey. Het was niet dat ik jou niet wilde. Er was iets anders dat ik méér wilde, dat is alles.'
'Wat dan?'
Hij keek me aandachtig aan. 'Ik weet het niet. Alles. Wat er maar op mijn weg kwam.'
'Jij hebt geen geweten, is het wel?'
Hij wendde zijn blik af. 'Nee. Daarom pasten we ook helemaal niet bij elkaar. Ik heb geen geweten en jij hebt er te veel van.'
'Dat is niet waar. Als ik een geweten had, zou ik niet zoveel leugens vertellen.'
'Ah, inderdaad. De leugens. Nu herinner ik het me weer. Dat was het enige dat we met elkaar gemeen hadden,' zei hij. Hij keek me weer aan. Ik kreeg het koud van de blik in zijn ogen, helder en leeg. Ik kon me herinneren hoe ik naar hem verlangde. Ik kon me herinneren dat ik naar zijn gezicht keek en me afvroeg of er ooit een knappere man had bestaan. Om een of andere reden verwacht ik van de mensen die ik ken nooit dat ze over enig talent of bijzondere capaciteiten beschikken. Ik was aan Daniel voorgesteld en ik was hem al weer vergeten tot op het moment dat ik hem hoorde spelen. Op dat moment nam ik hem, met stomheid geslagen, nog eens goed op en vanaf dat ogenblik was ik verkocht. Alleen zat er geen enkele toekomst in onze relatie.

Daniel was getrouwd met zijn muziek, met zijn vrijheid, met drugs en, gedurende korte tijd, met mij. Dat was ongeveer de plaats die ik innam op zijn prioriteitenlijstje.
Ik bewoog me onrustig. Zijn huid scheen een tastbare seksuele wasem af te scheiden die mijn richting uit dreef als de geur van een houtvuur een kilometer verderop. Het is een vreemd maar waar verschijnsel dat, als je met mannen naar bed gaat, geen van de oude regels van toepassing is op een man met wie je al eerder geslapen hebt. Een schoolvoorbeeld van conditionering. De man had me prima afgericht. Zelfs na acht jaar kon hij nog altijd met me doen wat hij het beste deed...verleiden. Ik schraapte mijn keel in een verwoede poging om de ban te doorbreken.'
'Wat valt er te vertellen over die therapeute van je?'
'Daar valt niets over te vertellen. Ze is psychiater. Ze denkt dat ze me weer helemaal in orde kan maken.'
'En dit hoort erbij? Vrede sluiten met mij?'
'We hebben allemaal onze waanvoorstellingen. Dat is een van de hare.'
'Is ze verliefd op je?'
'Ik betwijfel het.'
'Dan is de therapie zeker pas begonnen,' zei ik.
Het kuiltje in zijn wang verscheen en er trok een glimlach over zijn gezicht. Het was een droefgeestige, ontwijkende glimlach en ik vroeg me af of ik misschien een pijnlijk onderwerp had aangeroerd. Nu was hij degene die rusteloos was en op zijn horloge keek.
'Ik moet er vandoor,' zei hij plotseling. Hij pakte beide borden en het bestek op en bracht alles naar de keuken. Hij had onder het koken al zoveel mogelijk afgewassen en opgeruimd, een oude gewoonte van hem, dus hij had niet veel meer te doen. Tegen zevenen was hij vertrokken. Ik hoorde hem de auto starten en wegrijden.
Het appartement leek donker, ongewoon stil.
Ik sloot af. Ik nam een bad, ervoor zorgend dat mijn brandwonden niet met water in aanraking kwamen. Ik kroop onder mijn dekbed en deed het licht uit. Het samenzijn met hem had de pijn in fossiele vorm teruggebracht, getuigenis van een lang vervlogen gevoelsleven, nu ingebed

in gesteente. Ik bestudeerde de gevoelens zoals ik een of andere uitgestorven ondersoort zou bestuderen, al was het alleen maar uit nieuwsgierigheid.
Getrouwd zijn met een drugsverslaafde is een bar eenzame aangelegenheid. Voeg daar nog eens aan toe zijn chronische ontrouw en dan kom je al gauw aan heel wat slapeloze nachten. Er zijn van die mannen die zwerven, mannen die er 's nachts op uit gaan, die gewoon urenlang niet komen opdagen. Als je dan in je bed ligt, maak je jezelf wijs dat je je zorgen maakt dat hij de auto weer in elkaar gereden heeft, dat hij dronken is of in de cel zit. Je maakt jezelf wijs dat je je zorgen maakt dat hij bestolen is, overvallen, verminkt, dat hij een overdosis genomen heeft. Waar je je werkelijk zorgen over maakt is dat hij misschien bij een andere vrouw is. De uren kruipen voorbij. Van tijd tot tijd hoor je een auto naderen, maar het is nooit de zijne. Tegen vier uur 's ochtends weet je niet meer wat je het liefst zou willen; dat hij thuiskwam of dat hij dood was.
Daniel Wade was degene die me geleerd had om eenzaamheid te waarderen. Wat ik nu te verduren heb staat in geen verhouding tot wat ik met hem te verduren heb gehad.

HOOFDSTUK NEGENTIEN

De rouwdienst voor Olive werd 's zondags om twee uur gehouden in de Unitaristische Kerk, een Spartaanse plechtigheid tegen een sober decor. Aanwezig waren uitsluitend de familie en een paar goede vrienden. Er waren massa's bloemen, maar geen lijkkist. Op de vloer lagen rode tegels, glimmend en koud. Op de glanzende, bewerkte houten kerkbanken lagen geen kussentjes. Het hoge plafond van de kerk gaf het gebouw een luchtig aanzien, maar merkwaardig genoeg ontbraken versieringen en er waren ook helemaal geen religieuze afbeeldingen of heiligenbeelden. Zelfs de gebrandschilderde ramen waren effen crèmekleurig met een vage suggestie van groene wijnranken die zich langs de randen slingerden. De Unitariërs hebben blijkbaar niet veel op met godsdienstijver, vroomheid, biecht, penitentie, of boetedoening. Jezus en God werden geen enkele keer genoemd, en ook het woord 'amen' kwam over niemands lippen. In plaats van uit de Bijbel werd er voorgelezen uit Bertrand Russell en Kahlil Gibran. Een man met een fluit speelde enkele droevige klassieke melodieën en eindigde met een nummer dat verdacht veel weg had van 'Send in the Clowns.' Er was geen lofrede, maar de dominee keuvelde op informele toon over Olive en nodigde de aanwezigen uit om op te staan en de anderen deelgenoot te maken van hun herinneringen aan haar. Niemand had de moed. Ik was ergens achterin gaan zitten in mijn jurk voor alle gelegenheden, want ik wilde me niet opdringen. Ik zag dat verscheidene mensen elkaar aanstootten en zich omdraaiden om naar me te kijken, alsof ik een beroemdheid was geworden door samen met haar de lucht in te gaan. Ebony, Lance en Bass bleven volkomen beheerst. Ash huilde, evenals haar moeder. Terry zat in zijn eentje op de voorste rij, voorovergebogen met het hoofd in de handen. De aanwezigen namen niet meer dan de voorste vijf of zes rijen in beslag.

Na afloop van de dienst kwamen we samen in de kleine tuin achter de kerk, waar champagne en dunne sandwiches geserveerd werden. Alles ging er heel beleefd en gereserveerd aan toe. Het was een warme middag. De zon scheen volop. De tuin zelf werd opgefleurd door gele, oranje, paarse en rode eenjarige planten langs de witgestucte muur die het kerkhof omgaf. Het betegelde fonteintje kletterde zachtjes en een briesje blies af en toe wat druppeltjes op de omliggende flagstones.
Ik mengde me onder de rouwenden. Ik zei zo weinig mogelijk en ving hier en daar wat flarden van gesprekken op. Sommigen hadden het over de effectenmarkt, anderen over reizen die ze kort geleden gemaakt hadden, een sprak er over de echtscheiding van een wederzijdse kennis die zesentwintig jaar getrouwd was geweest. Degenen die over Olive Wood Kohler spraken, deden dat òf op de bij dit soort gelegenheden gebruikelijke sentimentele wijze òf op enigszins kattige toon.
'...hij komt dat verlies nooit meer te boven, weet je. Ze was alles voor hem...'
'...zevenduizend dollar voor die jas betaald...'
'...geschokt...kon het niet geloven toen Ruth me belde...'
'...arme kerel. Hij aanbad de grond waarop ze liep, hoewel ik zelf nooit zo goed begrepen heb waarom...'
'...tragedie...zo jong nog...'
'...dat heb ik me eigenlijk altijd al afgevraagd met dat smalle bovenlichaam van haar. Zou het plastische chirurgie zijn geweest?'
Ash zat op een betonnen bank vlakbij de kapeldeur. Ze zag er bleek en afgetobd uit, haar rossige haar hier en daar doorschoten met voortijdig grijs. Ze droeg een ruimvallende donkere wollen jurk met korte mouwen, die haar bovenarmen het vormeloze aanzien van rollen brooddeeg gaven. Over een paar jaar zou ze dat matrone-achtige uiterlijk hebben dat vrouwen soms krijgen als ze zich hals over kop in de middelbare leeftijd storten om er maar vanaf te zijn. Ik ging naast haar zitten. Ze stak haar hand uit en daar zaten we samen als twee lagere-schoolmeisjes tijdens een excursie. 'Twee aan twee in de rij en monden dicht.' Het leven zelf is

een merkwaardig soort uitstapje. Soms heb ik nog steeds het gevoel dat ik een briefje van mijn moeder nodig heb.
Ik liet mijn blik over de aanwezigen glijden. 'Waar is Ebony gebleven? Ik zie haar nergens meer.'
'Die is vlak na de dienst vertrokken. God, wat is dat een kouwe kikker. Ze zat daar als een stuk steen, zonder ook maar één traan te laten.'
'Bass zegt dat ze er kapot van was toen ze het nieuws hoorde. Nu heeft ze zichzelf onder controle, en dat past waarschijnlijk veel meer bij de manier waarop ze leeft. Konden zij en Olive het goed met elkaar vinden?'
'Dat heb ik altijd gedacht. Nu ben ik er niet meer zo zeker van.'
'Kom nou, Ashley. Mensen verwerken hun verdriet op verschillende manieren. Je weet nooit echt hoe een ander zich voelt,' zei ik. 'Ik ben eens op een begrafenis geweest waar een vrouw zo verschrikkelijk moest lachen dat ze het in haar broek deed. Haar enige zoon was omgekomen bij een auto-ongeluk. Later werd ze in het ziekenhuis opgenomen met een zware depressie, maar als je haar toen gezien had zou je dat nooit gedacht hebben.'
'Je zult wel gelijk hebben.' Ze keek de tuin rond. 'Terry heeft weer een telefoontje van die vrouw gehad.'
'Lyda Case?'
'Ik geloof het wel. Die vrouw die hem bedreigd had.'
'Heeft hij de politie gebeld?'
'Dat betwijfel ik. Hij bracht het ter sprake vlak voordat we naar de kerk vertrokken. Hij heeft er waarschijnlijk nog geen gelegenheid voor gehad.'
Ik zag Terry met de dominee staan praten. Alsof hij een teken had gekregen, draaide hij zich om en keek naar me. Ik raakte Ash's arm aan. 'Ik ben zo terug,' zei ik.
Terry mompelde iets tegen de dominee en liep mijn richting uit. Toen ik hem aankeek was het alsof ik in de spiegel keek...dezelfde kneuzingen, dezelfde opgejaagde blik in de ogen. De traumatische ervaring die we beiden hadden ondergaan had ons net zozeer met elkaar verbonden als geliefden. Niemand kon weten hoe het was op het moment dat de bom explodeerde. 'Hoe gaat het ermee?' zei hij zachtjes.

'Ash zegt dat Lyda Case weer gebeld heeft.'
Terry nam me bij de arm en leidde me naar een rustig plekje. 'Ze is hier in de stad. Ze wil me ontmoeten.'
'Waanzin. Geen sprake van,' mompelde ik schor.
Terry keek me aan. Hij voelde zich duidelijk niet op zijn gemak. 'Ik weet dat het idioot klinkt, maar ze zegt dat ze informatie heeft die me zou kunnen helpen.'
'Dat zal wel. Waarschijnlijk in een pakje dat explodeert als je het oppakt.'
'Daar heb ik haar naar gevraagd. Ze zweert dat ze niets te maken had met Olives dood.'
'En jij geloofde haar?'
'Tja, op dat moment wel.'
'Hé, jij was degene die me over dat dreigement van haar verteld heeft. Als jij inspecteur Dolan niet belt, doe ik het.'
Ik dacht dat hij zou proberen om me op andere gedachten te brengen, maar hij slaakte alleen maar een diepe zucht. 'Goed. Je zult wel gelijk hebben. Ik ben gewoon helemaal de kluts kwijt.'
'Waar logeert ze?'
'Dat heeft ze niet gezegd. Ze wil me om zes uur bij het vogelreservaat ontmoeten. Zou jij misschien mee willen gaan? Ze heeft speciaal naar jou gevraagd.'
'Waarom ik?'
'Dat weet ik niet. Ze zei dat je naar Texas was gevlogen om met haar te praten. Waarom heb je dat niet verteld toen het onderwerp ter sprake kwam?'
'Sorry. Dat had ik inderdaad beter wel kunnen doen. Dat was aan het begin van de week. Ik probeerde wat meer te weten te komen over Hugh Case, om erachter te komen hoe zijn dood in deze hele geschiedenis past.'
'En?'
'Ik ben er nog niet uit. Het zou me ten zeerste verbazen als die zaken niet met elkaar in verband staan, maar ik weet alleen nog niet hoe.'
Terry wierp me een skeptische blik toe. 'Het is nooit bewezen dat hij vermoord is, is het wel?'
'Nee, dat is waar,' zei ik. 'Het lijkt alleen hoogst onwaarschijnlijk dat het laboratoriumwerk zou verdwijnen tenzij

iemand bewijsmateriaal wilde verdonkeremanen. Misschien is het dezelfde persoon met ditmaal een ander motief.'
'Hoe kom je daar zo bij? Koolmonoxydevergiftiging en bommen zijn totaal verschillende methoden. Zou de dader niet dezelfde methode gebruiken die de eerste keer ook zo goed gewerkt had?'
Ik haalde mijn schouders op. 'Ik weet het niet. Als ik het was, zou ik doen wat me op dat moment het beste uitkwam. Het punt is dat dit niet iets is waarmee we op eigen houtje maar zo'n beetje kunnen aanklungelen.'
Ik zag hoe Terry's blik zich richtte op een punt achter me. Toen ik me omdraaide zag ik Bass. Hij zag er oud uit. Iedereen was ouder geworden na de dood van Olive, maar op Bass hadden de groeven van vermoeidheid en verdriet de minst flatteuze uitwerking - zware wallen onder de ogen, een norse trek om de mond. Hij had het soort jongensachtig gezicht dat zich niet leent voor diepe emoties. Verdriet toonde bij hem als een vorm van irritatie. 'Ik breng moeder naar huis,' zei hij.
'Ik kom ook zo,' zei Terry. Bass liep weg en Terry wendde zich weer tot mij. 'Wil jij inspecteur Dolan bellen of zal ik het doen?'
'Ik doe het wel,' zei ik. 'Als er problemen zijn, laat ik het je wel weten. Anders zie ik je om zes uur bij het vogelreservaat.'
Ik was om vijf over half vier thuis, maar het duurde bijna een uur voordat ik de inspecteur te pakken kreeg, die wel degelijk geïnteresseerd was in een gesprekje met Lyda Case. Hij zei dat hij er om vijf uur zou zijn in een neutrale auto, voor het geval ze echt schichtig zou zijn wat betreft contact met de politie. Ik kleedde me om in jeans en een sweatshirt en trok mijn tennisschoenen aan. Ik was moe, en de napijn van mijn verwondingen was net een klein lek in een autoband: langzaam maar zeker voelde ik de energie uit me wegsijpelen. In zekere zin kon ik me Terry's gevoelens wel enigszins voorstellen. Het was moeilijk te geloven dat Lyda verantwoordelijk was voor de pakjesbom, laat staan voor de dood van haar man twee jaar geleden. Ondanks haar beschuldigingen en het verkapte dreigement tegenover Terry leek ze mij niet het type dat een moord zou plegen, hoewel

dat natuurlijk ook niet alles zegt. Keer op keer ben ik door moordenaars voor verrassingen geplaatst. Ik probeer niet te generaliseren, maar zo lagen de zaken nu eenmaal. Misschien was ze inderdaad alleen maar wat ze beweerde te zijn...iemand met informatie die van nut zou kunnen zijn.

Tegen de tijd dat ik bij de afgesproken plaats arriveerde, was de zon vrijwel ondergegaan. Het vogelreservaat is een aangelegd terrein vlakbij het strand, bedoeld om ganzen, zwanen en andere vogelsoorten te beschermen. Het gebied, dat een oppervlakte heeft van zo'n zeventien hectare, grenst aan de dierentuin en bestaat uit een onregelmatig gevormd zoetwatermeertje, omringd door een brede strook kort gras waar een fietspad doorheen loopt. Aan het begin is een kleine parkeerplaats waar ouders met kleine kinderen komen met plastic zakjes oude popcorn en oudbakken brood. Doffers stappen met parmantig vooruitgestoken borst achter hun vrouwelijke soortgenoten aan, die het steeds klaarspelen om bevruchting net één stap voor te blijven.

Ik reed de parkeerplaats op en parkeerde mijn auto. Ik stapte uit. Zeemeeuwen cirkelden en doken omlaag in een merkwaardige eigen choreografie. Ganzen waggelden snaterend langs de oever op zoek naar kruimels terwijl de eenden rimpelingen trokken door het kalme water. De lucht werd steeds donkerder en de opstekende wind veroorzaakte een lichte rimpeling in het zilveren oppervlak van het meertje.

Ik was blij toen inspecteur Dolan zijn auto naast de mijne parkeerde. We praatten over koetjes en kalfjes totdat Terry verscheen. Daarna zaten we met zijn drieën te wachten. Lyda Case kwam niet opdagen. Om kwart over acht gaven we het eindelijk op. Terry noteerde Dolans telefoonnummer en zei dat hij zou bellen zodra ze weer contact opnam. We waren nogal teleurgesteld, want alle drie hadden we gehoopt op een doorbraak in de zaak. Terry leek dankbaar dat hij iets te doen had en ik had zo het idee dat zijn eerste nacht alleen hem niet mee zou vallen. Vrijdagnacht had hij in het ziekenhuis gelegen en de zaterdag had hij bij zijn schoonmoeder doorgebracht terwijl de technische recherche het onderzoek in en om het huis afrondde, waarna een ploeg werklieden aantrad om de voorgevel van het huis met planken dicht te timmeren.

Mijn eigen melancholieke stemming was in verhevigde mate

teruggekeerd. Begrafenissen en nieuwjaar vormen een slechte combinatie. De pijnstillers die ik ingenomen had, tastten mijn geestesgesteldheid aan waardoor ik me enigszins losgekoppeld van de realiteit voelde. Ik had behoefte aan gezelschap. Ik verlangde naar licht en geluid en een goed diner met een lekker glas wijn en een gesprek over wat dan ook, als het maar niet met de dood te maken had. Ik beschouwde mezelf als een onafhankelijk type, maar ik besefte hoe betrekkelijk die onafhankelijkheid was.
Ik reed naar huis in de hoop dat Daniel weer zou komen opdagen. Met hem wist je het nooit. De dag dat hij ons huwelijk uitgelopen was, acht jaar geleden, had hij niet eens een briefje achtergelaten. Hij werd niet graag geconfronteerd met boosheid of verwijten. Hij zei dat hij afknapte op mensen die bedroefd, gedeprimeerd of van streek waren. Het was zijn strategie om anderen met de narigheid te laten zitten. Ik had hem dat zien doen met zijn familie, met oude vrienden, met optredens die hem niet meer interesseerden. Op een goeie dag was hij gewoon verdwenen en het was heel goed mogelijk dat je hem de eerste twee jaar niet meer terug zag. Tegen die tijd wist je niet eens meer waarom je zo nijdig op hem was geweest.
Soms, zoals in mijn geval, was er sprake van onverwerkte woede, wat Daniel meestal voor een raadsel stelde. Sterke emoties zijn moeilijk vol te houden tegenover iemand die daar werkelijk niets van begrijpt. Je weet gewoon niet meer wat je moet zeggen. Het grootste deel van de tijd was hij vroeger toch stoned, dus een confrontatie met hem had ongeveer net zoveel zin als het verbieden van een kat om tegen de gordijnen te piesen. Hij 'begreep het niet.' Woede zei hem niets. Hij zag geen verband tussen zijn gedrag en de razernij die daar het gevolg van was. Spelen, dat was zijn lust en zijn leven. Hij was een vrije geest, grillig, inventief, onvermoeibaar, charmant. Jazzpiano, seks, reizen, feesten, daar was hij fantastisch in...totdat het hem begon te vervelen, natuurlijk, of totdat de realiteit de kop opstak, en dan was hij vertrokken. Ik had nooit leren spelen, dus ik leerde een hoop van hem. Ik weet alleen niet of het iets was waar ik echt behoefte aan had.
Ik vond een parkeerplaats zes deuren verderop. Daniels auto stond voor mijn appartement geparkeerd. Hijzelf stond

tegen het portier geleund. Naast hem stond een boodschappentas waar een stokbrood uitstak als een honkbalknuppel.
'Ik dacht dat je vandaag zou vertrekken,' zei ik.
'Ik heb met mijn vriend gepraat. Het ziet ernaar uit dat ik nog een paar dagen blijf.' 'Heb je een slaapplaats?'
'Ik hoop het. Er is hier in de buurt een klein motel waar waarschijnlijk in de loop van de avond een kamer vrijkomt.'
'Mooi. Dan kun je je spullen meenemen.'
'Dat doe ik zodra ik het zeker weet.'
'Wat is dat?' zei ik, terwijl ik naar het stokbrood wees.
'Hij volgde mijn blik naar de boodschappentas.
'Picknick,' zei hij. 'Ik dacht dat ik misschien ook wel wat piano zou kunnen spelen.'
'Hoe lang ben je hier al?'
'Sinds zes uur,' zei hij. 'Gaat het een beetje? Je ziet er afgepeigerd uit.'
'Dat ben ik ook. Kom maar verder. Ik hoop dat je wijn hebt meegebracht. Ik kan best een slokje gebruiken.'
Hij droeg de tas achter me aan het hek door. Een tijdje later zaten we op de vloer in Henry's woonkamer. Daniel had vijfentwintig kaarsen gekocht en die zette hij overal in de kamer neer zodat ik het gevoel kreeg dat ik midden in een verjaardagstaart zat. Er was wijn, pâté, verschillende soorten kaas, stokbrood, koude salades, verse frambozen en koekjes. Na het eten ging ik volkomen verzadigd achterover liggen en verzonk in gemijmer terwijl Daniel piano speelde. Wat Daniel deed was niet zozeer het spelen alswel het ontdekken van muziek, melodieën te voorschijn toverend en daar in allerlei variaties op improviserend. Hij had een klassieke piano-opleiding gehad, dus hij warmde zich op met Chopin, Liszt en Bach, waarna hij moeiteloos overging op improvisaties.
Daniel hield plotseling op.
Ik deed mijn ogen open en keek naar hem.
Zijn gezicht had een gepijnigde uitdrukking. Hij sloeg onverschillig een vals akkoord aan. 'Het is weg. Ik heb het niet meer. Toen ik met de drugs gestopt ben, is ook de muziek verdwenen.'
Ik ging overeind zitten. 'Hoe bedoel je?'

'Precies wat ik zeg. Het was de keus die ik moest maken, maar het heeft geen zin. Ik kan wel zonder drugs leven, maar niet zonder muziek. Dat kan ik nou eenmaal niet.'
'Het klonk prima. Het was prachtig.'
'Wat weet jij daar nou van, Kinsey? Je snapt er geen moer van. Dat was puur techniek. Mechanische bewegingen. Er zit geen ziel in. Ik kan alleen muziek maken als ik high ben. Dit is niks. Ik leef maar half. Dat andere is beter...als ik stoned ben en alles geef. Je kunt je niet inhouden. Het is alles of niets.'
Ik voelde hoe ik langzaam verstijfde. 'Wat bedoel je precies?' Stomme vraag. Ik kende het antwoord.
Zijn ogen glansden en hij bracht zijn samengeknepen duim en wijsvinger naar zijn lippen en zoog lucht naar binnen. Het was het gebaar dat hij altijd maakte als hij op het punt stond een joint te draaien. Hij keek naar de holte van zijn elleboog en maakte met een verlekkerde blik een vuist.
'Doe het niet,' zei ik. 'Waarom niet?'
'Je gaat eraan kapot.'
Hij haalde zijn schouders op. 'Waarom kan ik niet leven zoals ik dat wil? Ik ben de duivel. Ik ben slecht. Dat zou jij onderhand toch wel moeten weten. Ik ben bereid om alles te doen dat me een kick kan geven...al was het alleen maar om *wakker* te blijven. Verdomme. Ik zou weer willen vliegen, snap je? Ik zou me weer lekker willen voelen. Ik zal je eens vertellen hoe het is om van de drugs af te zijn...het is zo verdomde saai. Ik snap niet hoe jij het uithoudt. Ik snap niet waarom je jezelf nog niet opgeknoopt hebt.'
Ik verfrommelde papieren servetten en stopte ze in de vuilniszak, verzamelde kartonnen bordjes, plastic bestek, de lege wijnfles, kartonnen dozen. Hij zat op het pianokrukje, zijn handen losjes in zijn schoot. Ik betwijfelde of hij zijn drieënveertigste verjaardag zou halen.
'Ben je daarom teruggekomen?' vroeg ik. 'Om mij ermee op te zadelen? Wat wil je nou van me, toestemming? Goedkeuring?'
'Ja, dat zou ik prettig vinden.'
Ik begon kaarsen uit te blazen. Je kunt niet redeneren met mensen die verliefd zijn op de dood. 'Verdwijn uit mijn leven, Daniel. Dat is toch niet te veel gevraagd?'

HOOFDSTUK TWINTIG

Maandagochtend stond ik om zes uur op en holde acht kilometer. Mijn tempo was traag en mijn hele lichaam deed pijn. Ik verkeerde in een slechte conditie en ik hoorde helemaal niet te joggen, maar ik kon het niet laten. Dit moest wel de beroerdste Kerst zijn die ik ooit had meegemaakt en het nieuwe jaar was ook niet bepaald veelbelovend begonnen. Het was nu 3 januari, en ik wilde mijn oude leventje weer terug. Met een beetje geluk zou Rosie in de loop van de dag weer opengaan en misschien zou Jonah terugkomen uit Idaho. Henry zou vrijdag weer terug zijn. Onder het lopen telde ik mijn zegeningen en negeerde het feit dat mijn lichaam pijn deed, dat ik momenteel niet de beschikking had over een kantoor en dat er nog altijd een donkere wolk van verdenking boven mijn hoofd hing.
De lucht was helder en er waaide een zacht briesje. Zelfs op dit vroege tijdstip was het ongebruikelijk warm voor de tijd van het jaar. Het zweet op mijn gezicht verdampte vrijwel onmiddellijk en mijn T-shirt kleefde aan mijn rug als een warme, natte dweil. Tegen de tijd dat ik weer in de buurt van mijn appartement was, had ik het gevoel dat ik wat van de spanning kwijtgeraakt was. Kinsey Millhone, de eeuwige optimist. Ik bleef doorhollen tot aan Henry's hek en liep toen een paar minuten op en neer om weer op adem te komen en wat af te koelen. Daniels auto was verdwenen. Op de plek waar hij gestaan had, stond nu een voertuig dat ik nog niet eerder had gezien; een kleine wagen, naar de vorm te oordelen, aan het oog onttrokken door een lichtblauwe katoenen autohoes. Het parkeren buiten de openbare weg is in deze buurt aan allerlei beperkingen gebonden en er zijn maar weinig garages. Als ik ooit een nieuwe auto zou kopen, zou ik zelf ook zo'n autohoes moeten aanschaffen. Ik leunde tegen het hek en deed braaf mijn rekoefeningen voordat ik onder de douche ging.
Lance Wood belde me om acht uur. Het achtergrondgeluid

was de holklinkende combinatie van verkeerslawaai en een besloten ruimte die typerend is voor telefooncellen.
'Waar ben je?' vroeg ik, zodra hij zijn naam had genoemd.
'Op een straathoek in Colgate. Ik vermoed dat de telefoon op de zaak wordt afgetapt,' zei hij.
'Heb je dat laten controleren?'
'Nou, ik weet eigenlijk niet hoe ik dat aan moet pakken en ik heb het gevoel dat ik voor gek sta als ik de telefoonmaatschappij vraag om te komen.'
'Dat kan ik me voorstellen,' zei ik. 'Dat is alsof je de vos vraagt om het kippenhok te bewaken. Waarom denk je dat je afgeluisterd wordt?'
'Vreemde dingen. Ik voer een telefoongesprek en binnen de kortste keren blijkt iets dat ik gezegd heb overal bekend te zijn. Ik heb het nou niet over de gewone kantoorroddeltjes. Het zijn bijvoorbeeld dingen die ik tegen klanten heb gezegd, waarvan de mensen hier met geen mogelijkheid op de hoogte kunnen zijn.'
'Zou het niet gewoon kunnen zijn dat er iemand meeluistert? Er zijn heel wat werknemers die van de telefoons gebruik kunnen maken.'
'Niet op mijn privé-lijn. Het is niet zo dat we ons hier met hoogst geheime zaken bezighouden, maar we zeggen allemaal wel eens dingen die niet voor andermans oren bestemd zijn. Kun jij er niet op een of andere manier achter komen?'
'Ik kan het proberen,' zei ik. 'Hoe zit het met het toestel zelf? Heb je het mondstuk losgeschroefd?'
'Jazeker, maar ik weet niet hoe het binnenste van zo'n hoorn er uit hoort te zien. Ik hoor in elk geval geen vreemde geluiden of geklik.'
'Zoiets hoor je niet als ze het vakkundig aangepakt hebben. Dan valt het bijna niet te ontdekken. Maar misschien is het dat helemaal niet,' zei ik. 'Misschien bevindt de afluisterapparatuur zich ergens in je kantoor.'
'Wat doen we in dat geval? Kun je daar achter komen?'
'Soms, als je geluk hebt. Het is ook mogelijk om een elektronisch apparaat te kopen waarmee je afluisterapparatuur kunt opsporen. Ik zal zien of ik zoiets te pakken kan krijgen

voor ik naar je toe kom. Over een uur of twee zie ik je op de zaak. Er zijn een paar andere zaken die ik eerst nog moet afhandelen.'
'Prima. Bedankt.'
Het volgende uur besteedde ik aan het uittikken van mijn aantekeningen. Ik knipte het kranteartikel over de explosie uit en stopte het in mijn dossier. Ik draaide Lyda's telefoonnummer in Texas. Misschien had haar medebewoonster inmiddels iets van haar gehoord. Het zou prettig zijn om te weten waar ik haar hier in Santa Teresa zou kunnen bereiken. Ik kreeg geen gehoor.
Om tien over negen rinkelde mijn telefoon. Het was Darcy die bij California Fidelity vandaan belde en klonk alsof ze haar hand voor het mondstuk hield. 'Grote problemen,' zei ze.
Ik voelde hoe het hart me in de schoenen zonk. 'Wat nu weer?'
'Als ik plotseling van onderwerp verander, dan weet je dat Mac binnengekomen is,' mompelde ze. 'Ik heb toevallig een gesprek opgevangen tussen hem en Jewel. Hij zegt dat iemand de politie had ingeseind over de voorraden in het magazijn. Het ziet ernaar uit dat Lance Wood voordat het magazijn afbrandde alle goederen naar een andere plaats heeft overgebracht. De inventaris die hij vergoed wil hebben bestond uit waardeloze troep.'
'Dat is onzin,' zei ik. 'Ik heb zelf een deel van de inventaris gezien. Ik heb zeker vijf of zes dozen doorzocht toen ik de zaak inspecteerde.'
'Nou ja, misschien heeft hij een paar echte dozen laten staan tussen de rotzooi. Hij wordt in staat van beschuldiging gesteld, Kinsey. Brandstichting en verzekeringsfraude, en jij wordt genoemd als medeplichtige. Mac heeft vanmorgen de hele zaak in handen gegeven van de officier van justitie. Ik dacht dat je dat misschien wel wilde weten, voor het geval je een advokaat in de arm wilt nemen.'
'Heb je enig idee hoe het tijdschema eruit ziet?'
'De heer Motycka is er op dit moment niet, maar ik kan een boodschap op zijn bureau leggen,' zei ze.
'Is dat Mac?'

'Dat heeft hij niet gezegd, maar we verwachten hem in de loop van de dag. Uh huh. Ja, dat zal ik doen. Okay, bedankt,' zei ze en hing op.

Ik belde Lonnie Kingman en bracht hem op de hoogte van de laatste ontwikkelingen. Hij zei dat hij contact zou opnemen met het bureau van de officier van justitie om erachter te komen of er een arrestatiebevel werd uitgevaardigd. Hij adviseerde me om me in dat geval vrijwillig te melden om zo de schande van een publieke arrestatie te vermijden.

'Jezus, ik kan gewoon niet geloven dat dit werkelijk gebeurt,' zei ik.

'Nou, zover is het ook nog niet. Je hoeft je pas zorgen te gaan maken zodra ik je dat zeg,' zei hij.

Ik pakte mijn handtas en mijn autosleutels en trok de deur achter me dicht. Ik had mijn emoties weer losgekoppeld. Ik schoot er niets mee op als ik ging zitten piekeren. Ik stapte in mijn auto en reed naar een winkel in elektrotechnische artikelen op Granita. Mijn kennis van elektronische afluisterapparatuur zou inmiddels wel verouderd zijn, aangezien die beperkt was tot hetgeen ik bijna tien jaar geleden opgestoken had tijdens een spoedcursus op de Politie-academie. Sindsdien had de ontwikkeling van micro-apparatuur waarschijnlijk een revolutie op dat terrein teweeggebracht, maar ik vermoedde dat de grondbeginselen wel altijd hetzelfde zouden blijven. Microfoon, zender, en een recorder die vandaag de dag waarschijnlijk door stemgeluid geactiveerd werd. Het installeren kan gedaan worden door een technicus, verkleed als een of andere onopvallende onderhoudsman: telefoonreparateur, meteropnemer, kabeltelevisie-installateur. Elektronisch afluisteren is duur, onwettig tenzij je toestemming van de rechtbank hebt, en ziet er op de televisie een stuk gemakkelijker uit dan het in werkelijkheid is. Het opsporen van dergelijke apparatuur is weer een heel ander verhaal. Het was natuurlijk altijd mogelijk dat Lance het zich alleen maar verbeeldde, maar dat betwijfelde ik.

Het kleine ontvangtoestel dat ik kocht had ongeveer het formaat van een draagbare radio. Ik kon er niet elke frequentie mee ontvangen, maar wel de meest gebruikelijke afluister- frequenties - 30-50 MHz en 88-108 MHz. Als het afluisterapparaat in zijn kantoor een draadmicrofoon was, zou ik de draad zelf moeten vinden, maar als het een draadloos exemplaar was, zou de ontvanger een hoge pieptoon laten horen zodra hij binnen het bereik van de microfoon kwam.

Ik reed naar Colgate met de portierramen open, zodat de droge, hete lucht door het interieur van de VW blies als een convectorkachel. De weerman op de autoradio scheen er al net zo weinig van te begrijpen als ik. Het leek wel augustus en het asfalt lag te glinsteren in de hitte. Januari is in Santa Teresa meestal de beste maand. Alles is groen, de bloemen staan in volle bloei, temperaturen van rond de tweeëntwintig graden, zacht en aangenaam. De thermometer op het bankgebouw gaf eenendertig graden aan en het was nog geen twaalf uur.

Ik parkeerde bij Wood/Warren en ging naar binnen. Lance kwam zijn kantoor uit in een doorweekt overhemd met opgerolde mouwen.

'Moeten we op onze woorden letten zodra we naar binnen gaan?' vroeg hij terwijl hij naar de deur van zijn kantoor wees.

'Dat lijkt me niet nodig. Laat ze maar weten dat we ze door hebben. Misschien dat er dan eindelijk wat schot in de zaak komt.'

Voor we aan het werk gingen, controleerde ik zowel de binnen- als de buitenmuren van het kantoor op de aanwezigheid van spijkermicrofoons, kleine apparaatjes die aangebracht kunnen worden tussen echte spijkers, of in een holle deur, waarbij het deurpaneel zelf dienst doet als membraan om de geluidsgolven door te zenden. Het kantoor van Lance bevond zich in de hoek van het gebouw, aan de rechter voorkant. Beide buitenmuren waren opgetrokken uit beton en natuursteen, waardoor het installeren vrijwel onbegonnen werk was: dan zou er iemand door een laag beton hebben moeten boren. Een van de binnenmuren grensde aan de receptie, waar de recorder moeilijk te verbergen zou zijn. De vierde muur bevatte geen ongerechtigheden.

Personeelsleden wierpen ons ongeïnteresseerde blikken toe terwijl we voorbereidingen troffen voor het onderzoek. Als er al iemand was die zich zorgen maakte dat er afluisterap-

paratuur boven water zou komen, dan was daar in elk geval niets van te merken.
We gingen het kantoor binnen. Allereerst controleerde ik de telefoon. Ik demonteerde de bodemplaat en schroefde daarna het mond- en oorstuk los. Voor zover ik het kon bekijken, was er met het apparaat niet geknoeid.
'Ik neem aan dat het niet de telefoon is,' zei Lance, die aandachtig toe stond te kijken.
'Wie zal het zeggen? Het apparaatje zit misschien wel ergens verderop,' zei ik. 'Ik kan met geen mogelijkheid te weten komen of iemand misschien de lijn bij een telefoonpaal heeft afgetapt. We moeten er maar van uitgaan dat de apparatuur zich hier ergens in het vertrek bevindt. Het is gewoon een kwestie van net zo lang zoeken tot we het gevonden hebben.'
'Waar zoeken we precies naar?' vroeg Lance.
Ik haalde mijn schouders op. 'Microfoon, zendertje. Als je door de FBI of de CIA bespioneerd wordt, vinden we waarschijnlijk helemaal niets. Ik neem aan dat die lui hun vak verstaan. Maar als de luistervink een amateur is, heb je kans dat het een tamelijk primitief apparaat is.'
'Wat heb je daar voor iets?'
'Een ontvanger,' zei ik. 'Die vangt het signaal op van draadloze afluisterapparatuur en zendt dan een hoge pieptoon uit. We zullen het eerst eens hiermee proberen, en als dat niets oplevert, slopen we desnoods het hele kantoor.'
Ik zette de ontvanger aan en begon de gebruikelijke afluisterfrequenties af te zoeken, terwijl ik ondertussen stapje voor stapje het kantoor rondliep, als iemand die met een wichelroede op zoek is naar water. Niets.
Ik stak het toestel in het buitenvak van mijn handtas en begon het kantoor aan een grondig onderzoek te onderwerpen, beginnend langs de wanden en daarna systematisch naar het midden toewerkend, zonder ook maar een vierkante decimeter over te slaan. Niets.
Ik bleef even staan, uit het veld geslagen, terwijl ik mijn blik over het plafond, langs de wanden naar beneden en langs de plinten liet gaan. Waar zat dat kreng? Mijn aandacht werd getrokken door een telefooncontactdoos rechts naast de deur. Er kwam geen telefoondraad uit.

'Wat is dat?'
'Wat? O, ik heb de aansluiting laten verplaatsen toen ik het kantoor opnieuw heb ingericht. De telefoon stond vroeger daar.'
Ik liet me op handen en knieën zakken en inspecteerde de contactdoos. Hij zag er volkomen normaal uit. Ik pakte mijn schroevedraaier en wipte het afdekplaatje eraf. Er was een klein stukje plint weggezaagd. In de daardoor vrijgekomen ruimte bevond zich een microcassetterecorder ter grootte van een pak speelkaarten.
'Hallo,' zei ik. Het bandje maakte een halve draai en stopte toen weer. Ik draaide het microsensorknopje om zodat onze stemmen het apparaat niet meer in werking zouden stellen en zette het recordertje op het bureau. Lance zeeg neer in zijn draaifauteuil. We keken elkaar geruime tijd zwijgend aan.
'Waarom?' zei hij verbijsterd.
'Ik weet het niet. Zeg jij het maar.'
Hij schudde het hoofd. 'Ik heb geen flauw idee. Ik heb geen vijanden, voor zover ik weet.'
'Blijkbaar toch wel. En niet alleen jij. Hugh Case is dood en dat zou Terry ook geweest zijn als hij dat pakje opgeraapt had in plaats van Olive. Wat hebben jullie drieën met elkaar gemeen?'
'Niets, dat zweer ik je. We werken alle drie bij Wood/Warren, maar we doen niet eens hetzelfde soort werk. We maken waterstofovens. Meer niet. En Hugh is twee jaar geleden gestorven. Waarom toen? Als iemand het bedrijf in handen wil krijgen, waarom moeten dan uitgerekend de sleutelfiguren uit de weg geruimd worden?'
'Misschien is dat het motief wel helemaal niet. Misschien is het iets dat geen enkel verband houdt met het bedrijf. Laat je gedachten er eens over gaan. Ik zal met Terry gaan praten en hem vragen hetzelfde te doen. Misschien is er iets dat je over het hoofd hebt gezien.'
'Dat moet haast wel,' zei hij, zijn gezicht rood van de hitte en de spanning. Hij duwde de cassetterecorder met één vinger van zich af. 'Bedankt hiervoor.'
'Wees toch maar voorzichtig. Er zou er nòg een kunnen zijn. Misschien hebben ze deze op een voor de hand liggen-

de plek verborgen om onze aandacht van de andere af te leiden.' Ik pakte mijn handtas op en liep naar de deur. Op de drempel bleef ik even staan. 'Neem contact met me op als je iets te binnen mocht schieten. En laat het me weten als je iets van Lyda Case hoort.'
Terwijl ik door de receptie liep, maakte ik een kleine omweg naar rechts. Daar bevond zich de ruimte waar de tekentafels van de ingenieurs stonden. John Salkowitz keek op van de ruwe schets waar hij mee bezig was. 'Kan ik iets voor u doen?'
'Is Ava Daugherty misschien in de buurt?'
'Die is net even weg. Ze moest een paar boodschappen doen, maar ze zal zo wel weer terugkomen.'
Ik legde mijn kaartje op haar bureau. 'Zou u haar willen vragen om me te bellen?' 'Komt in orde.'
Tegen drie uur was ik weer thuis, warm en stoffig van het rondkruipen door Lance's kantoor. Ik gooide mijn handtas op de bank. Er klonk een schrille janktoon en ik sprong zowat een meter in de lucht van schrik. Ik rukte de ontvanger uit het buitenvak van mijn handtas en zette hem uit. Jezus, was me dat schrikken! De stilte was een verademing. Ik stond daar met bonzend hart, klopte mezelf op de borst en haalde een paar keer diep adem. Ik schudde het hoofd en liep mijn keukentje in. Ik voelde me uitgedroogd en ik verlangde naar een biertje. In het appartement was het benauwd en drukkend als in een sauna. Ik keek in de koelkast. Er stond niet eens een blikje Pepsi Light in.
En toen bleef ik plotseling staan en draaide mijn hoofd langzaam in de richting van de kamer achter me. Ik deed de deur van de koelkast dicht en liep terug naar de bank. Ik pakte de ontvanger op en zette hem weer aan, terwijl ik het apparaat een boog door de kamer liet beschrijven. De hoge janktoon sneed door de stilte als een inbraakalarm.
Ik liep naar de hoek en keek omlaag. Ik liet me op mijn hurken zakken en stak mijn hand voorzichtig in de klankkast van Daniels gitaar. Het zendertje, niet groter dan een lucifersdoosje, was met tape aan de binnenkant van het instrument bevestigd. Ik voelde een ijzige kou van onder uit mijn ruggegraat optrekken. Daniel was op een of andere manier bij de zaak betrokken.

HOOFDSTUK EENENTWINTIG

Het kostte me bijna twee uur om de door stemgeluid geactiveerde tape-recorder te vinden, die verborgen bleek te zijn op het zonneterras dat vroeger de verbinding vormde tussen de garage die tot mijn appartement verbouwd was en het huis zelf. Ik wist niet zeker hoe Daniel binnengekomen was. Misschien had hij het slot opengepeuterd, zoals ik in zijn plaats gedaan zou hebben. Het bandje was nieuw, hetgeen inhield dat hij er vrij kort geleden nog moest zijn geweest om het oude bandje eruit te halen en door een nieuw te vervangen. Ik kon me niet eens meer herinneren hoe de situatie was geweest toen hij voor het eerst zijn opwachting had gemaakt. Het was afschuwelijk om te bedenken hoeveel telefoongesprekken hij gedurende de afgelopen paar dagen moest hebben afgeluisterd. Zelfs boodschappen die binnenkwamen op mijn antwoordapparaat zouden opgenomen en doorgegeven zijn, om nog maar niet te spreken van de uitvoerige discussie die ik met hem had gehad over de zaak zelf. Hij was zo geïnteresseerd geweest, hij had zulke scherpzinnige vragen gesteld. Ik had me zo gevleid gevoeld door zijn aandacht. Achteraf begreep ik dat hij op zijn manier geprobeerd had om me te waarschuwen. Al dat gepraat over wat voor leugenaar hij was. Was alles wat hij tegen me gezegd had een leugen geweest? Ik ging op mijn achterportaal zitten en overdacht de hele situatie. Wie had Daniel hier toe aangezet? Lyda Case misschien, of misschien Ebony. Een van beiden was mogelijk in contact gekomen met Daniel, de amorele, de overspelige, verveeld en niets om handen hebbend, rusteloos en het leven zat. Wat kon het hem schelen wie hij verried? Hij had me al eens eerder kapot gemaakt. Nòg een keer zou nauwelijks iets uitmaken in het grote bestel der dingen. Het was gewoon schrikbarend om te bedenken hoeveel informatie er doorgegeven was, alleen al door mijn kant van telefoongesprekken af te luisteren. Misschien was Andy Motycka er op die manier achter gekomen dat Darcy en ik hem op het spoor waren. *Iets* had ervoor gezorgd dat hij er overhaast vandoor was gegaan. Olives dood had pas in de kranten gestaan de dag *nadat* hij verdwenen was. Had hij geweten wat er zou gebeuren? Ik moest Daniel vinden.

Ik pakte zijn gitaar, het zendertje en de tape-recorder, legde alles op de achterbank van mijn auto en begon door de buurt rond te rijden, op zoek naar zijn Rent-A-Ruin. Ik woon één blok van het strand in een wijk vol motels en prachtige bungalows. Ik begon op Cabana Boulevard en reed om elk blok heen, controleerde de parkeerplaatsen van alle motels en alle restaurants langs het strand. Er was geen spoor van hem te bekennen. Waarschijnlijk had hij ook gelogen over de plek waar hij logeerde.

Om vijf uur gaf ik het eindelijk op en reed naar huis. Zoals gebruikelijk moest ik weer een eind verderop parkeren. De intense hitte van de dag begon plaats te maken voor een zoele namiddagtemperatuur en het zag er naar uit dat het een prachtige avond zou worden. De zon ging langzaam onder en de combinatie van januarischemering en zomerse temperatuur werkte verwarrend en bezorgde me een onbehaaglijk gevoel. Ik wilde net mijn hek binnengaan toen de lucht mijn neusgaten binnendrong. Dode hond, dacht ik. Iets dat lag te rotten en te stinken. Ik keek achterom naar de straat in de verwachting daar een of ander platgereden dier te zien. In plaats daarvan werd mijn aandacht getrokken door het voertuig met de blauwe katoenen autohoes er overheen dat nog steeds voor mijn appartement geparkeerd stond. Ik aarzelde even en liep er toen naartoe. De stank werd erger. Mijn speekselklieren werkten op volle toeren en ik slikte, terwijl er tranen in mijn ogen sprongen, een angstreactie van me. Voorzichtig tilde ik de autohoes op en trok hem over de motorkap omhoog zodat ik door de voorruit kon kijken.

Ik rukte mijn hand terug en er ontsnapte een geluid aan mijn keel dat nauwelijks menselijk meer klonk.

Tegen het raam aan de passagierskant leunde het opgezwollen gezicht van Lyda Case, met uitpuilende ogen, tong dik en rond en donker als die van een papegaai tussen opgeblazen, donker verkleurde lippen. Een sjaal, vrolijk bedrukt met surfmotieven, was vrijwel begraven in het gezwollen vlees van haar hals. Ik trok de hoes terug over de voorruit en holde naar binnen, waar ik het nummer van de politie draaide en de vondst van het lijk meldde. Mijn stem klonk laag en ongeëmotioneerd, maar mijn handen trilden hevig. Het beeld van Lyda's gezicht danste nog in de lucht, een visioen van de dood, gepaard aan de geur van verrotting. De stem aan de andere kant van de lijn verzekerde me dat er een wagen onderweg was.

Ik liep weer naar buiten. Ik ging op de stoeprand zitten in afwachting van de komst van de politie, terwijl ik de wacht hield bij Lyda's lichaam als een ouwe trouwe viervoeter. Ik denk dat er nog geen vier minuten verstreken waren voordat de zwartwitte politiewagen de hoek om kwam scheuren. Ik stond op en stak mijn arm omhoog als een klaar-over.

Ik kende de twee geüniformeerde agenten die uitstapten, Pettigrew en Gutierrez, een man en een vrouw. Ik wist dat ze wel ergere dingen hadden gezien dan Lyda Case - welke wijkagent heeft dat niet? - maar er was iets afstotends aan het schouwspel van deze dood. Het leek erop dat ze speciaal hier was gedeponeerd om een zo groot mogelijk gruweleffect te bereiken. De boodschap was voor mij bestemd...spot en macabere arrogantie, een escalatie in de stand van zaken tussen deze moordenaar en mij. Ik had de dood van Olive niet persoonlijk opgevat. Ik had het verlies gevoeld, maar ik geloofde niet dat iemand het op mij gemunt had. Mijn aanwezigheid daar toen de bom explodeerde was puur toeval. Dit was anders. Dit was tegen mij gericht. Iemand wist waar ik woonde. Iemand had speciale maatregelen getroffen om haar hier te krijgen.

De volgende twee uren waren gevuld met de gebruikelijke politieprocedures, geformaliseerd als een dans. Alle verantwoordelijkheid lag bij iemand anders. Inspecteur Dolan verscheen ten tonele. Ik beantwoordde vragen. De auto bleek gehuurd te zijn, Hertz ditmaal in plaats van Rent-A-Ruin. Ik had hem vanochtend voor het eerst gezien, voor zover ik me tenminste kon herinneren. Nee, ik had hem nog nooit eerder gezien. Nee, ik had geen onbekenden in de buurt ge-

zien. Ja, ik wist wie ze was, maar ze had geen contact met me opgenomen. Nee, ik had geen idee wanneer of waarom ze hier naartoe was gekomen, ik wist alleen dat ze Terry Kohler had verteld dat ze informatie voor hem had. Dolan had samen met ons gewacht bij het vogelreservaat, dus hij wist dat ze niet op was komen dagen. Waarschijnlijk was ze toen al dood en begon haar vlees al gaar te worden in de bloedhete afgesloten auto.
Uit mijn ooghoeken zag ik hoe de lijkschouwer zijn voorlopig onderzoek verrichtte. De autoportieren stonden wijdopen en de hele buurt was doortrokken van de stank van het lijk. Inmiddels was het volledig donker geworden en de buurtbewoners bleven zover mogelijk bij de bron van de stank vandaan. Overal in de straat stonden mensen in deuropeningen en op veranda's te kijken. Sommigen hadden hun werkkleding nog aan. Velen hielden een zakdoek voor hun gezicht om de stank zoveel mogelijk tegen te houden. Het politiepersoneel dat direct met het lijk te maken had, droeg beschermende maskers. Er waren schijnwerpers geïnstalleerd en de vingerafdruk-deskundigen bewerkten elke vierkante centimeter van de donkerblauwe auto met wit poeder en kwastjes. Portierkrukken, ruiten, dashboard, stuurwiel, stuurkolom, plastic stoelhoezen. Aangezien de huurauto waarschijnlijk schoongemaakt werd na elke verhuur, bestond er een grote kans dat eventuele vingerafdrukken van betekenis zouden zijn.
Pettigrew was mijn appartement binnen gegaan om de bedrijfsleider van Hertz te bellen.
Lyda werd in een lijkenzak geritst. De gassen die zich onder haar huid hadden opgehoopt maakten dat ze eruit zag alsof ze plotseling vijftig pond aangekomen was en heel even was ik, volkomen absurd, bang dat ze uit elkaar zou barsten. Ik stond op en ging naar binnen. Ik schonk mezelf een glas wijn in en klokte dat naar binnen als water. Agent Pettigrew beëindigde zijn telefoongesprek en legde de hoorn op de haak.
'Ik ga douchen, als niemand daar bezwaar tegen heeft.' Ik wachtte niet op antwoord. Ik pakte een plastic vuilniszak uit de keuken, sloot mezelf op in de badkamer en kleedde me

uit. Alle kledingstukken, mijn schoenen inbegrepen, stopte ik in de vuilniszak. Ik bond hem dicht en zette hem buiten de badkamerdeur. Ik nam een douche. Ik waste mijn haar. Toen ik klaar was, sloeg ik een badhanddoek om en bekeek mijn gezicht in de spiegel, op zoek naar geruststelling. Ik kon de beelden niet van me afzetten. Lyda's gelaatstrekken schenen over de mijne heen te vallen, en de stank van haar lijk wedijverde met de geur van shampoo en zeep. Nooit was ik zo doordrongen geweest van mijn eigen sterfelijkheid. Mijn ego deinsde terug, niet in staat zijn eigen eindigheid onder ogen te zien. Er is niets zo verbijsterend of beledigend voor een ziel als het idee dat er een dag zou kunnen komen waarop hij er misschien niet meer zou 'zijn'. Daaraan ontspringt de religie, met haar vertroosting die ik niet kon aanvaarden.
Tegen negen uur was in de buurt alles weer bij het oude. Er waren diverse afdrukken, waaronder een gedeelte van een handpalm, gevonden in de auto die daarna naar het parkeerterrein voor in beslag genomen voertuigen was gesleept. De bedrijfsleider van Hertz was ter plaatse gearriveerd en de vingerafdrukspecialist had een complete serie afdrukken van hem genomen, en van mij ook trouwens, bij wijze van vergelijkingsmateriaal. De technici zouden het interieur van de auto onder handen nemen als een ploeg werksters en daarna zouden ze beginnen met het nauwgezet analyseren van alles wat ze tijdens hun schoonmaak gevonden hadden.
Ondertussen was ik te rusteloos om thuis te blijven zitten. Ik had mijn appartement altijd beschouwd als een veilig toevluchtsoord, maar daaraan was een einde gekomen door de hoek waarin Lyda's hoofd tegen het portierraam gelegen had, zodanig verdraaid dat ze mijn voordeur in de gaten leek te houden. Ik trok een windjack aan en pakte mijn handtas. De vuilniszak met bezoedelde kleren gooide ik op weg naar buiten in Henry's container. Ik reed weer door de buurt rond, op zoek naar Daniels auto, waarbij ik dezelfde parkeerplaatsen van restaurants en motels aandeed. Ik had nog altijd zijn gitaar op de achterbank en ik dacht niet dat hij zou vertrekken zonder het instrument op te halen.
Bij het Beach View Motel was het raak. Het heette dan wel

Beach View, maar in feite keek het uit op de achterkant van het aangrenzende motel. Daniels gammele huurwagen stond geparkeerd voor appartement 16, op de begane grond aan de achterkant van het motel. Ernaast stond een kleine rode open Alfa Romeo. Ik parkeerde, sloot mijn auto af en zocht in het dashboardkastje van de Alfa naar het kentekenbewijs. Het kwam nauwelijks als een verrassing dat de auto op naam bleek te staan van Ashley Wood. Wel, wel, wel.
Ik klopte op Daniels deur. Ik kon zien dat het licht aan was, maar ik moest geruime tijd wachten. Ik begon al te denken dat ze misschien te voet ergens anders heen waren gegaan, toen de deur openging en Daniel naar buiten keek. Hij was op blote voeten, zonder shirt, maar hij had een verschoten spijkerbroek aangetrokken. Hij zag er slank en gebronsd uit, zijn blonde haar door de war alsof hij net geslapen had. Hij zag er verhit uit en de rimpels rond zijn ogen waren minder diep. Hij zag er tien jaar jonger uit nu de afgetobde uitdrukking op zijn gezicht als bij toverslag verdwenen was. Als hij al verrast was om me te zien, dan liet hij dat in elk geval niet blijken.
'Mag ik binnenkomen?' vroeg ik.
Hij aarzelde even en stapte toen opzij. Ik liep de kamer in en zag met grimmige geamuseerdheid dat de badkamerdeur dicht was. De muskusachtige geur van seks hing in de lucht als ozon na een plensbui.
'Ik heb je gitaar in de auto.'
'Dat was niet nodig geweest. Ik had toch gezegd dat ik hem op zou komen halen.'
'Dat maakt niet uit. Ik wilde toch met je praten.' Ik liep de kamer door en zag de donkere peuk van een joint in de asbak. 'God, je hebt er ook geen gras over laten groeien, hè?' zei ik.
Zijn blik was waakzaam. Hij kende me goed genoeg om te beseffen dat ik in een rothumeur was. Hij zei: 'Wat heb je op het hart? Ik ben momenteel nogal gebonden.'
Ik glimlachte, terwijl ik me afvroeg of hij dat letterlijk bedoelde. Bondage had nooit op zijn seksuele repertoire gestaan, maar wie weet wat Ash voor voorkeuren had? 'Ik heb het zendertje gevonden. De tape-recorder ligt in de auto, sa-

men met de gitaar. Ik heb er nog over gedacht om het hele zootje in zee te dumpen, maar daar ben ik te fatsoenlijk voor. Ik moet zeggen dat je wel lef hebt, Daniel. Je moet toch maar durven, om mijn leven weer binnen te komen walsen en me opnieuw te besodemieteren.'

Zijn gezicht betrok, maar hij had in elk geval het fatsoen om het niet te ontkennen.

Ik liep naar de badkamerdeur en deed die open.

Daar stond Bass. Ik voelde een pijnscheut door me heen trekken, gevolgd door een soort gevoelloosheid. Ik voelde zelfs geen woede tijdens dat moment waarop de waarheid tot me doordrong. Ik dacht terug aan de laatste keer dat ik ze samen had gezien...het feest ter gelegenheid van de eenentwintigste verjaardag van Bass op de country club. Daniels jazzcombo had daar gespeeld en ik was ook uitgenodigd omdat ik Ash kende. Twee weken later was Daniel verdwenen, zonder ook maar een woord van verontschuldiging. Nu stond ik oog in oog met de reden. Wie, vroeg ik me af, had wie verleid. Daniel was dertien jaar ouder dan Bass, maar dat hoefde niets te betekenen. Niet dat het er verder iets toe deed. De lucht in het vertrek was doortrokken van hartstocht. Ik voelde me een beetje duizelig worden.

Bass had een handdoek om zijn middel geslagen. Ik merkte dat ik het lichaam bekeek waaraan Daniel de voorkeur had gegeven boven het mijne. Bass was bleek, met een smalle borst, maar zijn houding was volkomen zelfverzekerd toen hij langs me heen de kamer in stapte.

'Hallo, Kinsey.' Hij bleef staan bij de asbak en pakte het restant van de joint op. Hij hield zijn hoofd schuin terwijl hij hem met een wegwerpaansteker aanstak. Hij nam een trek en bood hem aan Daniel aan, die met een korte hoofdbeweging voor het aanbod bedankte. Beide mannen keken elkaar aan met een blik zo vol tederheid dat ik mijn ogen neersloeg.

Bass keek me aan. 'Hoe kom jij hier zo verzeild?'

'Lyda Case is dood.'

'Wie?'

'Toe nou, Bass. Kom me nou niet met die flauwekul aan.

Ze was getrouwd met Hugh Case, die voor Wood/Warren werkte. Zo snel ben je hem toch niet vergeten?'
Bass legde de joint op de rand van de asbak en liep naar het bed. Hij ging er languit op liggen en sloeg zijn handen achter zijn hoofd ineen. Het haar in zijn oksels was zijdeachtig en zwart en ik kon liefdesbeten in zijn hals zien. Toen hij sprak was zijn toon vriendelijk en ontspannen. 'Je hoeft niet zo lelijk tegen me te doen. Ik ben jarenlang weg geweest. Ik sta buiten deze hele zaak,' zei hij. 'Maar jij niet.'
'*Ik*? Dat is gelul! Ik ben hierin verzeild geraakt via California Fidelity.'
'Dat heb ik gehoord. Het bureau van de officier van justitie heeft contact opgenomen met moeder. Je wordt beschuldigd van verzekeringsfraude.'
'En jij gelooft dat,' zei ik op vlakke toon.
'Ach, ik kan het wel begrijpen. Lance zat natuurlijk voor het blok en had dringend behoefte aan contanten. Het laten afbranden van het magazijn was voordeliger dan een banklening. Het enige dat hij nodig had was een beetje hulp van jou.'
'O, werkelijk? Je schijnt goed op de hoogte voor iemand die zo lang weg is geweest. Wie is je informant?'
'Wat kan jou dat schelen?'
'Je kunt niet alles geloven wat je hoort, Bass. Soms kun je zelfs je eigen ogen niet geloven. Er gebeuren hier hele vreemde dingen, en niemand van ons is tot nu toe slim genoeg geweest om er achter te komen wat er precies aan de hand is.'
'Ik weet zeker dat jij wel een verklaring vindt. Ik heb gehoord dat je heel goed bent in datgene wat je doet.'
Ik keek Daniel aan. 'Hoe ben jij hierbij betrokken geraakt?'
Daniel keek me onzeker aan en Bass antwoordde in zijn plaats. 'We moesten weten wat er aan de hand was. Het was duidelijk dat jij ons dat niet zou vertellen, en dus moesten we bepaalde stappen ondernemen.' Hij zweeg even en haalde zijn schouders op. 'We zullen de tapes uiteraard overdragen aan de officier van justitie.'
'O ja, uiteraard. Wie zijn "we"?'
'Daar praat ik liever niet met je over, voor het geval je mis-

schien represaillemaatregelen zou willen nemen,' zei Bass. 'Het komt er op neer dat ik Daniel kende en hij kende jou en het leek de meest logische manier om aan informatie te komen.'
'En Andy Motycka? Welke rol speelt hij in het geheel?'
'Dat is me nog niet helemaal duidelijk. Kun jij me dat niet vertellen?'
'Nou, dat is mij ook niet helemaal duidelijk, Bass. Ik vermoed dat iemand Andy onder druk gezet heeft om het spel mee te spelen. Misschien is hij nerveus geworden toen hij erachter kwam dat Darcy en ik hem door hadden. Of misschien hoorde hij van Olives dood en realiseerde zich dat hij zich behoorlijk in de nesten had gewerkt. Hoe dan ook, het ziet ernaar uit dat hij er vandoor is, tenzij hij ook is vermoord. Zit het jou niet dwars dat Lyda Case nu ook dood is?'
'Waarom? Ik kende de dame niet persoonlijk. Natuurlijk, ik vind het erg dat ze dood is, maar ik heb daar op geen enkele manier iets mee te maken.'
'Hoe weet je dat jij niet de volgende bent, Bass? Of misschien wel onze Daniel hier? Ook al laat je je aan Olives dood niets gelegen liggen, dan zou je toch eens moeten nadenken over je eigen kwetsbaarheid. Je hebt te maken met iemand die steeds minder te verliezen heeft.'
'Waarom denk je dat hij weet wie het is?' vroeg Daniel.
'Waarom denk jij dat hij dat niet weet?' snauwde ik.

HOOFDSTUK TWEEËNTWINTIG

Toen ik thuis kwam, deed ik Henry's buitenverlichting aan, waardoor zijn tuin net zo fel verlicht werd als een gevangeniscomplex. Ik liep de sloten van al zijn deuren na en controleerde toen de mijne. Ik maakte mijn kleine .32 schoon en stopte acht patronen in het magazijn. Het zat me niet lekker dat het vizier niet honderd procent in orde was. Een vuurwapen biedt geen bescherming als je er geen volledige controle over hebt. Ik stopte het in mijn handtas. Ik zou het de volgende ochtend bij een wapenhandel laten nakijken. Ik vroeg me grimmig af of een geweermaker ook leenexemplaren ter beschikking stelde.

Ik poetste mijn tanden en waste mijn gezicht, waarna ik mijn diverse brandwonden, kneuzingen en kleinere blessures inspecteerde. Ik voelde me beroerd, maar ik besloot dat het beter was om de pijnstillers niet in te nemen. Ik was bang dat ik te diep zou slapen, voor het geval iemand misschien een aanslag op mij in de zin had. Ook was ik bang dat Lyda Case misschien onaangekondigd in mijn dromen zou verschijnen.

Ik zag de digitale wekker zich een weg door de nacht flikkeren. Buiten deed de warme, droge wind de palmbladeren geheimzinnig ritselen. De lucht in mijn appartement leek verstikkend, geluiden schenen gedempt te worden door de hitte. Twee keer stond ik op en sloop geruisloos naar de badkamer, waar ik in de schaduw door het raampje naar buiten tuurde. De boomtakken zwiepten in de wind. Bladeren waaiden ritselend door de straat. Stof dwarrelde uit het niets op tot wervelende spiralen. Een keer reed er een auto langzaam voorbij, met koplampen die banen over mijn plafond trokken. Ik stelde me Daniel voor in de armen van Bass, en ik benijdde hen hun geborgenheid. In het holst van de nacht lijkt veiligheid belangrijker dan fatsoensnormen.

Eindelijk, toen het donker al plaats begon te maken voor de

grijze dageraad, viel ik in slaap. De wind was gaan liggen en de daaruit voortvloeiende stilte was net zo verontrustend als het spookachtige gekraak van de eikeboom in de tuin van mijn buurman. Ik schrok om kwart over acht wakker, gedesoriënteerd door het gevoel dat alles die dag in het honderd zou lopen. Ik wilde zodra Wood/Warren open ging met Ava gaan praten, wat inhield dat ik mijn vijf kilometer niet kon lopen. Ik zou moeten leven met de knagende angst die bezit van me had genomen. Er is niets zo goed als een paar kilometer joggen om dat soort dingen van je af te zetten. Ik was bang dat het nu alleen maar erger zou worden. Ik sleepte mezelf naar de douche, kleedde me daarna aan en zette snel een pot sterke koffie die ik in een thermoskan overschonk. Ik dronk de koffie terwijl ik de vijftien kilometer naar Colgate reed.
Lance werd pas na tienen verwacht en Terry was nog met ziekteverlof, maar Ava zat aan haar bureau met een gezicht als een oorwurm. Ze had haar afgebroken nagel laten repareren en de kleur was veranderd van felrood in zachtpaars, met op elk vingertopje een donkerbruine chevron gepenseeld. Vandaag droeg ze een paarse jersey met een rode bandelier. Een oogverblindende combinatie, vond ik.
'Ik heb mijn kaartje gisteren achtergelaten. Ik had gehoopt dat u zou bellen,' zei ik, terwijl ik plaatsnam op de metalen stoel naast haar bureau.
'Het spijt me. We zaten tot over onze oren in het werk.' Ze keek me aandachtig aan. De ongenaakbaarheid was verdwenen en had plaatsgemaakt voor bezorgdheid. De dame was in een stemming om te praten. Ze zei: 'Ik heb vanochtend op de radio het bericht over Lyda Case gehoord. Ik begrijp niet wat er allemaal aan de hand is.'
'Kende u Lyda?'
'Niet echt. Ik had haar alleen maar een paar keer aan de telefoon gehad, maar ik ben zelf getrouwd geweest met een man die zelfmoord heeft gepleegd. Ik weet hoe afschuwelijk dat kan zijn.'
'En helemaal als je niet zeker weet of het wel zelfmoord was,' zei ik. 'U wist natuurlijk dat binnen enkele dagen al zijn laboratoriumwerk verdwenen was.'

'Ja, dat heb ik gehoord, maar ik wist niet zeker of het waar was. Zelfmoord is heel moeilijk te aanvaarden. Mensen gaan soms onbewust dingen verzinnen. Wat is er precies met Lyda gebeurd? Op de radio zeiden ze eigenlijk alleen maar dat haar lijk gevonden was. Ik kan u niet zeggen hoe geschokt ik was. Het is afschuwelijk.'
Ik vertelde haar de details en bespaarde haar weinig. Normaal gesproken zou ik niet zo uitgebreid op de details ingaan, omdat ik er weinig voor voel om de publieke zucht naar de gruwelijke bijzonderheden van een gewelddadige dood te bevredigen. Bij Ava had ik het gevoel dat de beschrijving van de realiteit haar tong misschien wat losser zou maken. Ze luisterde met een uitdrukking van weerzin op haar gezicht, haar donkere ogen angstig op me gericht.
'Hebt u er bezwaar tegen als ik rook?' vroeg ze.
'Helemaal niet. Ga uw gang.'
Ze trok de onderste la van haar bureau open en haalde daar haar handtasje uit te voorschijn. Haar handen trilden toen ze een Winston uit het pakje schudde en hem aanstak. 'Ik probeer ermee te stoppen, maar het lukt me gewoon niet. Op weg naar kantoor heb ik weer een pakje gekocht. In de auto heb ik er twee gerookt.' Ze inhaleerde diep. Een van de ingenieurs keek verstoord op van zijn tekentafel toen de rook zijn richting uit dreef. Ze zat met haar rug naar hem toe, dus ze zag de geïrriteerde blik niet die over zijn gezicht trok.
'Laten we teruggaan naar Hughs dood,' zei ik.
'Daar kan ik u niet veel over vertellen. Ik was pas een paar weken in dienst toen hij stierf, dus ik kende hem nauwelijks.'
'Was er vóór u een chef van de administratie?'
Ava schudde het hoofd. 'Ik was de eerste, en dat hield in dat het op kantoor een rotzooitje was. Niemand deed er iets aan. Alles lag door elkaar. Er was één secretaresse. Heather was de receptioniste, maar de gewone dagelijkse zaken werden afgehandeld door Woody zelf, of door een van de ingenieurs. Het kostte me een half jaar om orde op zaken te stellen. Ingenieurs mogen dan misschien geobsedeerd zijn door hun werk, maar dat gaat niet op voor het administra-

tieve aspect ervan.' Ze nam weer een trek van haar sigaret en tikte de as in de asbak.
'Hoe was de sfeer in die tijd? Was die gespannen? Waren er mensen die met elkaar overhoop lagen? Een of andere vete misschien?'
'Niet voor zover ik wist. Woody had ingeschreven op een regeringscontract en we probeerden dat organisatorisch rond te krijgen...'
'Wat hield dat in?'
'De gebruikelijke administratieve rompslomp. Formulieren die ingevuld moesten worden, vergunningen, dat soort zaken.'
'Wat is er verder met die inschrijving gebeurd?'
'Niets. De hele zaak ging niet door. Woody kreeg een hartaanval en nadat hij gestorven was, besloot Lance om er maar van af te zien.'
'Wat was het voor iets waar ze op ingeschreven hadden? Ik vraag me af of dat er misschien iets mee te maken heeft.'
'Dat weet ik niet meer. Wacht, ik vraag het wel even.' Ava draaide zich om en zag John Salkowitz die met een blauwdruk in zijn hand door het kantoor liep, blijkbaar op weg naar de achterkant van het gebouw. 'John? Zou ik je even iets kunnen vragen?'
Hij liep naar ons toe en er trok een bezorgde uitdrukking over zijn gezicht toen hij mij in het oog kreeg. 'Hoe zit dat met Lyda Case? Mijn vrouw belde net om te zeggen dat ze het op het nieuws had gehoord.'
Ik gaf hem een verkorte versie van het verhaal, waarna ik hem vroeg waar ze indertijd op ingeschreven hadden. 'Ik probeer er nog steeds achter te komen wat het verband is met die kwestie waar Lance in verzeild is geraakt. Er moet ergens een samenhang zijn.'
'Hij wordt toch niet echt beschuldigd van verzekeringsfraude, is het wel?'
'Het ziet er wel naar uit. Ikzelf trouwens ook.'
'Afschuwelijk,' zei hij. 'Nou ja. Ik zie niet in hoe het iets te maken zou kunnen hebben met het contract waar we op inschreven, maar ik zal het u vertellen. We zijn geabonneerd op een vakblad, de *Commerce Daily*, dat door de regering

wordt uitgegeven. Het was Hughs taak om dat door te nemen op mogelijke contracten waar we op in zouden kunnen schrijven. Hij vond er een in de rubriek verwarmingsinstallaties. Er werden inschrijvingen gevraagd op een oven voor het verwerken van beryllium, dat gebruikt wordt bij het fabriceren van atoombommen en raketbrandstof. Het is riskant werk. We zouden een compleet nieuw ventilatiesysteem hebben moeten inbouwen, maar als we het contract gekregen hadden, zouden we in een goede positie geweest zijn om op toekomstige contracten in te schrijven. Woody vond dat het de investering in nieuwe apparatuur waard was. Niet iedereen was het met hem eens, maar hij was een scherpzinnig man en je moest op zijn instinct vertrouwen. Hoe dan ook, we zouden die opdracht proberen te krijgen.'
'Wat zou het de firma hebben opgeleverd?'
'Een kwart miljoen dollar. Een half miljoen misschien. Maar op den duur natuurlijk meer, als we op toekomstige projecten zouden inschrijven.'
'Hoe stond het met de inschrijving toen Hugh stierf?'
'Ik weet het niet. Ik had het idee dat er schot in de zaak zat. Ik weet dat hij naar Los Angeles was gegaan om alle paperassen op te halen. Omdat het een opdracht van het ministerie van Defensie betrof, zou het bedrijf gescreend worden, evenals de individuele personeelsleden.
Door Hughs dood veranderde er in wezen niet zo veel, maar toen kort daarop Woody ook nog eens overleed, zagen we het niet meer zitten.'
'Zou het bedrijf het werk aan hebben gekund zonder hen beiden?'
'Waarschijnlijk wel, maar vergeet niet dat Lance de zaak nog maar net overgenomen had en de kat een beetje uit de boom wilde kijken. We hebben een kans voorbij laten gaan, daar kwam het eigenlijk op neer. Het kostte ons verder niets. Misschien waren we niet eens de laagste bieder geweest, dus het is allemaal speculatief.'
'Is er daarna nog op contracten ingeschreven?'
'Dat is een aspect van de zaak waar we niet al te veel aandacht aan hebben besteed. Het grootste deel van de tijd hebben we toch al meer werk dan we aankunnen.'

Ik keek hem aan met het gevoel aan het eind van mijn Latijn te zijn. 'Maar u gelooft niet dat het verder iets met de zaak te maken heeft?'
'Ik zou niet weten hoe.'
'In elk geval bedankt voor uw tijd. Het kan zijn dat ik nog eens contact met u opneem.'
'Best hoor,' zei hij.
Ava en ik bleven nog even kletsen, maar ons gesprek leverde verder weinig op, afgezien van één kleinigheid. Ze vermeldde terloops dat Ebony de rouwdienst voor Hugh Case had bijgewoond.
'Ik dacht dat ze in Europa zat, getrouwd met een of andere playboy genaamd Julian.'
'Dat klopt, maar ze kwamen zo om de zes maanden op bezoek in de States.'
'Hoe lang was ze al in de stad toen Hugh stierf? Hebt u enig idee?'
'Ik zou het niet kunnen zeggen. Ik was toen nog te kort in dienst om op de hoogte te zijn van het doen en laten van de familie.'
'Misschien kan ik daar wel achter komen,' zei ik. 'Bedankt voor uw hulp.'
Terwijl ik terug naar de stad reed, kon ik mezelf wel een schop geven. Ik was er ten onrechte van uitgegaan dat noch Ebony noch Bass iets met Hughs dood te maken kon hebben, aangezien ze indertijd allebei buiten beeld waren geweest - Ebony in Europa, Bass in New York. Nu was ik daar niet zo zeker meer van. Ik stopte bij een telefooncel en belde het huis van de Woods. Het dienstmeisje nam de telefoon op. Ik was bereid om met welk lid van de familie dan ook te praten, maar dat bleek niet zo eenvoudig te zijn. Mevrouw Wood lag te rusten en had laten weten dat ze niet gestoord wenste te worden. Ebony en Ashley waren naar een firma in grafmonumenten om een steen uit te zoeken voor het graf van Olive. Bass kon elk moment thuiskomen. Wilde ik misschien mijn naam en telefoonnummer achterlaten? Ik besloot om dat maar niet te doen. Ik zei dat ik nog wel terug zou bellen en hing op zonder me bekend te maken. Ik haalde nog wat kleingeld uit mijn portemonnee en

belde Darcy op kantoor. Ze had niets nieuws te melden. Ik bracht haar op de hoogte van de laatste ontwikkelingen en we morden samen wat over de nieten die we trokken. Ze zei dat ze een boodschap op mijn antwoordapparaat zou achterlaten als er zich iets mocht voordoen. Weinig kans, dacht ik.
Ik liep terug naar mijn auto en stapte in. Ik schonk de rest van de hete koffie in de schroefdop van de thermoskan en dronk met kleine slokjes. Ik begon in de buurt van de waarheid te komen. Ik voelde het in mijn botten. Ik voelde me alsof ik in almaar kleiner wordende kringen ronddraaide en steeds dichter het middelpunt van de cirkel naderde. Soms was er maar een heel klein duwtje nodig om alles op zijn plaats te laten vallen. Maar de balans was vrijwel in evenwicht en als ik te hard duwde, zou ik misschien mijn doel voorbijschieten.
Ik had niet zoveel aanknopingspunten meer. Ik schroefde de dop op de thermoskan en legde die op de achterbank. Ik startte de auto en reed weer terug naar de stad. Misschien had Andy's geliefde inmiddels iets van hem gehoord. Je kon nooit weten. Een kwartier later klopte ik op haar deur. Ik wist niet zeker of ze werkte. Ze was thuis, maar toen ze de deur opendeed maakte ze niet bepaald de indruk dat ze blij was om me te zien.
'Hallo,' zei ik. 'Ik ben nog steeds op zoek naar Andy en ik vroeg me af of u ondertussen misschien iets van hem gehoord had.'
Ze schudde het hoofd. Sommige mensen denken dat ze me op die manier voor de gek kunnen houden, door de leugen niet met zoveel woorden uit te spreken. Vermoedelijk ontspruit dat aan een innerlijke overtuiging dat ze, als ze de leugen maar niet hardop zeggen, daarvoor niet in de hel zullen branden.
'Hij heeft geen contact opgenomen om u te laten weten dat alles in orde is?'
'Dat zei ik toch net?'
'Ik vind het maar raar,' zei ik. 'Ik had eigenlijk verwacht dat hij u een briefje zou sturen of even zou opbellen.'
'Sorry,' zei ze.

Er viel een korte stilte waarin ze hoopte de deur dicht te kunnen doen en van me af te zijn.
'Hoe is hij eigenlijk aan die klant gekomen?' vroeg ik.
'Welke klant?'
'Wood/Warren. Kende hij Lance goed, of iemand anders van de familie?'
'Ik heb geen idee. Trouwens, hij is chef schadeclaims. Ik weet niet eens of hij die polis wel afgesloten heeft.'
'O. Ik verkeerde eigenlijk in de veronderstelling dat dat het geval was. Ik dacht dat ik dat gezien had op een van de formulieren die we verwerkt hebben. Misschien behoorde die polis tot zijn portefeuille voordat hij bevorderd werd tot chef schadeclaims.'
'Ben je klaar met je vragen?' zei ze snibbig.
'Eh, nou nee, eigenlijk niet. Kende Andy iemand van de Woods persoonlijk? Ik dacht niet dat u die vraag al beantwoord had.'
'Hoe moet ik weten wie hij allemaal kende?'
'Ik wilde alleen maar even een balletje opgooien,' zei ik. 'Ik vind het gek dat u zich geen zorgen over hem maakt. Hij is nu al, hoe lang, vier dagen weg? Ik zou in alle staten zijn.'
'Dat zal dan het verschil tussen ons zijn,' zei ze.
'Misschien ga ik nog maar eens bij zijn huis langs. Je kunt nooit weten. Misschien is hij nog terug geweest om zijn kleren en zijn post op te halen.'
Ze staarde me zwijgend aan. Het leek me dat we zo'n beetje uitgepraat waren.
'Nou, dan ga ik maar weer eens,' zei ik opgewekt. 'Fijn dat u me zo fantastisch geholpen hebt.'
Haar afscheid was kort maar krachtig. 'Ach, lazer toch op.' Haar moeder had blijkbaar verzuimd haar goede manieren bij te brengen. Ik besloot om naar Andy's appartement te rijden omdat ik, eerlijk gezegd, niets anders wist te bedenken.

HOOFDSTUK DRIEËNTWINTIG

Ik reed naar het appartementencomplex waar Andy woonde, al lang blij dat ik geen rapport hoefde uit te tikken van de gebeurtenissen van die dag. De waarheid was dat ik geen enkel plan had, geen enkele strategie om deze zaak tot een goed einde te brengen. Ik had geen flauw idee wat er allemaal aan de hand was. Ik reed maar wat heen en weer van de ene kant van de stad naar de andere, in de hoop dat ik ergens iets aan de weet zou komen. Ik bleef ook uit de buurt van mijn appartement, want ik stelde me de dienders al voor die met een arrestatiebevel bij de voordeur op me stonden te wachten. Andy vormde een van de ontbrekende schakels. Iemand had een ingewikkeld plan bedacht om Lance in diskrediet te brengen en twee van de belangrijkste ingenieurs van Wood/Warren uit te schakelen. Andy had hand- en spandiensten verleend in het complot, maar toen Olive naar het hiernamaals geblazen werd moest hij besloten hebben dat hij er maar beter vandoor kon gaan. Als ik te weten kon komen wat de connectie was tussen Andy Motycka en degene die hem erbij betrokken had, dan kon ik er misschien ook achter komen waar het allemaal om begonnen was.

Het elektronische hek van The Copse stond open en ik reed naar binnen zonder dat er gewapende bewakers of valse honden op me af kwamen. Een lange, blonde vrouw in een jumpsuit liet een abrikooskleurig poedeltje uit, maar ze keurde me nauwelijks een blik waardig. Ik parkeerde mijn auto op de plek die eigenlijk voor Andy bestemd was. Ik liep de trap op naar het portaal op de eerste verdieping en liet mezelf binnen met de voordeursleutel die hij, zoals ik inmiddels wist, op de richel boven de deur verstopte. Ik moet bekennen dat ik enigszins wantrouwend snoof toen ik naar binnen stapte, me bewust van de mogelijkheid dat Andy hetzelfde overkomen was als Lyda Case. Ik rook niets verontrustends in het appartement en het stof dat zich op de

lege boekenplanken verzameld had bevestigde het feit dat er al dagenlang niemand meer geweest was.
Ik liep snel het appartement door om er zeker van te zijn dat ik alleen was. Ik deed de schuifpui aan de achterkant open, keek in allebei de slaapkamers en liep toen weer terug naar de woonkamer, waar ik de gordijnen aan de voorkant dichttrok. Ik liep nieuwsgierig door het halfdonker. Andy leefde in zulke sobere omstandigheden dat zijn huis er, zelfs toen hij er nog woonde, verlaten uit had gezien. Maar nu maakte het echt een onbewoonde indruk. De vaste vloerbedekking lag vol stukken papier. In dit soort situaties verlang ik altijd naar het voor de hand liggende - cryptische boodschappen, motelrekeningen, van aantekeningen voorziene routebeschrijvingen die aanduiden waar de vermiste heen zou kunnen zijn. Maar helaas, niets van dat alles en ik had me de moeite van het op handen en knieën rondkruipen om alles te lezen kunnen besparen. Het werk van een privé-detective gaat nu eenmaal gepaard met vernederende situaties. Het medicijnkastje in zijn badkamer was leeggehaald. Shampoo, deodorant en scheerspullen waren verdwenen. Waar hij ook was, hij zou gladgeschoren zijn en lekker ruiken. Alle vuile kleren waren uit zijn slaapkamer verdwenen en de blauwe plastic kratten waren leeg. Er lag nog een oude boksershort, bedrukt met paarse uitroeptekens. Ik verbaas me altijd weer over mannenondergoed. Wie zou zoiets kunnen vermoeden als je naar die stemmige driedelige kostuums keek? Hij had zijn fiets, zijn roeibank en de resterende verhuisdozen laten staan. Er lagen nog een paar slordig opgevouwen lakens in de linnenkast. In de koelkast lag nog een diepvriespizza. De fles aquavit en de Milky Ways had hij meegenomen, misschien in de verwachting van een zwerversbestaan dat een eindeloze aaneenschakeling zou zijn van suiker- en alcoholmisbruik.
Het kaarttafeltje stond nog op zijn plaats met het antwoordapparaat erop, aluminium tuinstoelen bijgeschoven alsof hij gasten had gehad op een Lean Cuisine-banket. Ik ging zitten, legde mijn voeten op een andere stoel en liet mijn blik door Andy's geïmproviseerde kantoor glijden. Er lagen nog wat potloden, een kladblok, een flesje kleverige type-out,

onbetaalde rekeningen. Zijn antwoordapparaat bleek van hetzelfde type als het mijne. Ik boog me voorover en deed het zijklepje open waarachter de 'vaak gedraaide' nummers genoteerd werden. Van de zestien beschikbare vakjes waren er maar zes ingevuld. Andy was echt iemand met een hoop fantasie. Brandweer, Politie, California Fidelity, zijn ex-echtgenote, een drankwinkel en een pizzatent die gratis thuisbezorgde.
Ik staarde naar het apparaat, terwijl ik de diverse mogelijkheden van dit model de revue liet passeren. Voorzichtig drukte ik op de knop met het sterretje links van de 0. Op mijn apparaat is dat de knop waarmee je automatisch het nummer waarmee je het laatst gebeld hebt, opnieuw kunt draaien. Met een riedel van hoge en lage zoemtonen draaide het apparaat het nummer, dat met groene cijfers op het schermpje oplichtte. Het nummer kwam me vaag bekend voor en ik schreef het op. Ik hoorde hoe het toestel aan de andere kant begon te rinkelen. Drie keer. Vier.
Iemand nam op. Er klonk gezoem en toen een korte stilte terwijl aan de andere kant van de lijn een apparaat tot leven kwam.
'Hallo. U spreekt met Olive Kohler op 555-3282. Sorry dat u ons niet persoonlijk aan de lijn krijgt. Ik ben op dit moment in de supermarkt, maar tegen een uur of half vijf ben ik weer thuis. Als u uw telefoonnummer en een boodschap inspreekt, bel ik u terug zodra ik weer thuis ben. Als u belt om te zeggen dat u op ons feestje komt, hoeft u alleen maar uw naam in te spreken en dan zien we u vanavond wel. Dag!'
Ik voelde mijn hart bonzen. Niemand had het bericht veranderd na Olives dood en daar was ze weer, vereeuwigd op die oudejaarsdag waarop ze een mondelinge boodschap achterliet voordat ze boodschappen ging doen voor het feestje dat nooit plaats zou vinden.
Uit een pervers soort nieuwsgierigheid drukte ik de knop met het sterretje opnieuw in. De telefoon die vier keer overging, Olive die opnam, haar stem hol klinkend maar vol levenslust. Ze was nog steeds boodschappen aan het doen voor het feestje en vroeg nog steeds om de naam, het tele-

foonnummer en een boodschap van degene die belde. 'Dag!' zei ze. Ik wist dat ze, ook al zou ik honderd keer bellen, 'Dag!' zou blijven zeggen zonder ooit te weten hoe definitief dat afscheid zou zijn.
Andy's laatste telefoontje was naar haar geweest, maar wat had dat te betekenen? Plotseling schoot er een fragment van een herinnering door me heen. Ik zag Olive de voordeur openmaken, haar armen vol boodschappen, de pakjesbom, geadresseerd aan Terry, er bovenop. Terwijl de deur openzwaaide begon de telefoon te rinkelen en daarom had ze het pakje zo gehaast neergegooid. Misschien wist Andy dat het pakje bij de voordeur lag en had hij gebeld om ze te waarschuwen.
Ik sloot Andy's appartement af, stapte in mijn auto en reed weer terug naar de stad, waarbij ik onderweg een kleine omweg maakte om een fast food-lunch naar binnen te schrokken. Het huis van de Kohlers was de volgende voor de hand liggende halte, maar terwijl ik de laan in draaide merkte ik dat ik onrustig begon te worden. Ik was er natuurlijk niet meer geweest sinds de bomexplosie en ik voelde er niet veel voor om dat trauma opnieuw door te maken. Ik parkeerde langs het trottoir en stapte voorzichtig door de opening in de heg waar de poort had gezeten. Alleen de stijlen stonden er nog, de metalen delen verwrongen waar de kracht van de explosie de zware houten poort van zijn scharnieren had losgerukt. Op sommige plekken waren de struiken volledig ontbladerd.
Ik liep naar het huis. Platen multiplex en planken waren voor de gapende opening getimmerd waar de voordeur had gezeten. Een van de zuilen die het voorportaal steunden was in tweeën geknapt en een ruwe balk was ervoor in de plaats gezet. Het bakstenen pad was zwartgeblakerd, het weinige gras dat er nog stond was zwart. Zaagbokken en waarschuwingsborden maakten bezoekers duidelijk dat ze achterom moesten gaan. Ik rook nog altijd de zwakke geur van de cocktailuitjes die als parels door de tuin verspreid lagen.
Ik voelde hoe mijn blik onweerstaanbaar getrokken werd naar de plek waar Olive als een verfomfaaide, bloederige

pop had gelegen. Op dat moment herinnerde ik me ook weer hoe ik aangeboden had om het pakje van haar over te nemen omdat ze haar armen al vol had met boodschappentassen. Haar nonchalante weigering had me het leven gered. Zo gaat de dood ons soms voorbij, met een glimlach, een knikje, en de boosaardige belofte om een andere keer voor ons terug te komen. Ik vroeg me af of Terry hetzelfde schuldgevoel had als ik omdat zij in onze plaats gestorven was.

Ik hield mijn adem in en sloeg mijn armen uit als een hardloper tijdens een wedstrijd. Daarna liep ik naar de achterkant van het huis. Ik klopte op de achterdeur en tuurde door het glas om te zien of Terry of de huishoudster thuis was. Er was niets te zien. Ik wachtte even en klopte toen nog een keer. Op de rechter benedenhoek van het keukenraam zat een sticker van een beveiligingsfirma met onder meer de mededeling 'Elektronisch Beveiligd.' Ik deed een paar passen achteruit zodat ik de hele achtergevel kon overzien. Er brandde een rood lichtje op het paneel van de alarminstallatie dat zich rechts van me bevond, ten teken dat het systeem ingeschakeld was. Als het groene lichtje brandde, zou iedere inbreker weten dat de kust veilig was. Ik haalde een kaartje uit mijn handtas en schreef een kort briefje, waarin ik Terry vroeg om me te bellen zodra hij thuis kwam. Ik liep weer terug naar mijn auto en reed naar het huis van de Woods. Het was heel goed mogelijk dat hij daar nog steeds was.

De vroege middagzon bescheen het huis met zijn stralend witte voorgevel. Het gras was pas gemaaid, net zo kort en frisgroen als een wollen tapijt. De oceaan was een diep marineblauw, het oppervlak bezaaid met witte schuimkoppen die deden vermoeden dat er een flinke zeewind stond. Ik had de hete woestijnwind in mijn rug, en de palmbomen zwaaiden rusteloos heen en weer waar die twee winden elkaar ontmoetten. De kleine rode sportwagen van Ash stond geparkeerd op de cirkelvormige oprijlaan, samen met een BMW. Terry's Mercedes was nergens te zien. Ik liep om het huis heen naar de lange, lage veranda aan de zeekant en belde aan.

Het dienstmeisje liet me binnen en vroeg me om in de hal

te wachten terwijl ze Ebony ging halen. Ik had naar Ash gevraagd, maar je kunt nou eenmaal niet te kieskeurig zijn. Ik wenste wanhopig dat ik een theorie had, maar ik was nog altijd min of meer op goed geluk bezig. Ik kon niet ver van de waarheid verwijderd zijn, maar ik had geen duidelijk beeld wat die waarheid dan wel mocht zijn. Onder de gegeven omstandigheden was het enige dat ik kon doen stug volhouden, doorploeteren. Bass was het enige familielid dat ik liever niet tegen het lijf zou lopen. Niet dat het op dat moment enig verschil maakte, maar je hebt nou eenmaal je trots. Je wilt toch geen gezellig onderonsje met de geliefde van je ex-echtgenoot? Ik moest oppassen dat mijn gekwetste trots mijn zicht op zijn rol in deze zaak niet beïnvloedde.
'Hallo, Kinsey.'
Ebony stond onderaan de trap, haar bleke ovale gezicht glad, uitdrukkingloos, beheerst. Ze droeg een zwart zijden japon die haar brede schouders, haar smalle heupen en haar fraai gevormde benen goed deed uitkomen. Haar rode naaldhakken moesten haar minstens tien centimeter langer hebben gemaakt. Ze droeg het haar strak achterover. De rouge op haar wangen wekte eerder de indruk van stress dan van gezondheid. In de familieverhalen was zij de sensatiezoekster, verslaafd aan het soort verraderlijke hobby's die een vroege dood tot gevolg kunnen hebben: deltavliegen, helikopterskiën, het beklimmen van steile rotswanden. Misschien was zij wel voorbestemd om roekeloos te leven, zoals Bass voorbestemd leek om een lui leventje van ijdelheid en genotzucht te leiden.
Ik zei: 'Ik dacht dat we maar eens moesten praten.'
'Waarover?'
'De dood van Olive. Lyda Case is ook dood.'
'Dat heeft Bass me verteld.'
Mijn glimlach was bitter. 'Ah, Bass. Hoe is die erbij betrokken geraakt? Op de een of andere manier heb ik het gevoel dat jij hem mischien in New York gebeld hebt.'
'Dat klopt.'
'Vuil spel, Ebony.'
Ze haalde nonchalant haar schouders op. 'Het is je eigen stomme schuld.'
'*Mijn* schuld?'
'Ik heb je gevraagd wat er aan de hand was, maar jij wilde

niets zeggen. Het is mijn familie, Kinsey. Ik heb er recht op om te weten wat er aan de hand is.'
'Juist. En wiens idee was het om Daniel erbij te betrekken?'
'Dat was mijn idee, maar Bass is degene die hem heeft opgespoord. Hij en Daniel hebben jaren geleden een verhouding gehad, totdat Bass er een eind aan maakte. Daniel was maar al te graag bereid om te doen wat Bass hem vroeg, in de hoop het vuur weer te doen ontvlammen.'
'En mij tussen de bedrijven door te verraden,' zei ik.
Ze glimlachte flauwtjes, maar ze bleef me strak aanstaren. 'Je had Daniel zijn zin niet hoeven geven, weet je. Je moet zelf nog wat onverwerkte emoties hebben gehad, anders had je je niet zo makkelijk in de luren laten leggen.'
'Klopt,' zei ik. 'Dat was slim bekeken. Jezus, hij heeft zich gewoon bij me binnen gesmoesd en je alles doorgespeeld.'
'Niet alles.'
'O? Ontbreekt er iets? Is er een deeltje van je plan niet helemaal uit de verf gekomen?'
'We weten nog steeds niet wie Olive vermoord heeft.'
'Of Lyda Case,' zei ik, 'hoewel het motief waarschijnlijk niet hetzelfde was. Ik denk dat ze er op een of andere manier achter is gekomen wat er aan de hand was. Misschien heeft ze Hughs paperassen nageplozen en iets belangrijks gevonden.'
'Wat bijvoorbeeld?'
'Tja, als ik dat wist, zou ik waarschijnlijk ook weten wie haar vermoord heeft, denk je ook niet?'
Ebony bewoog zich onrustig. 'Ik heb het druk. Waarom vertel je me niet wat je wilt.'
'Nou, laat eens kijken. Toen ik vandaag door de stad rond reed, bedacht ik opeens dat het misschien nuttig zou zijn om te weten wie Olives portefeuille erft.'
'Portefeuille?'
'Haar tien procent aandelen. Die zouden vast en zeker niet naar iemand buiten de familie gaan. Dus aan wie heeft ze die nagelaten?'
Voor het eerst was ze echt in de war en de kleur op haar wangen leek echt. 'Wat doet dat ertoe? De bom was bedoeld voor Terry. Olive is bij vergissing gestorven, niet-

waar?'
'Ik weet het niet. Is dat zo?' snauwde ik terug. 'Wie krijgt die aandelen? Jij? Lance?'
'Ash,' zei de stem. 'Olive heeft al haar aandelen nagelaten aan haar zus Ashley.' Mevrouw Wood was op de overloop verschenen. Ik keek op en zag hoe ze zich aan de leuning vasthield, haar hele lichaam trillend van de inspanning.
'Moeder, u hoeft zich hier niet druk over te maken.'
'Ik vind van wel. Kom naar mijn kamer, Kinsey.' Mevrouw Wood verdween.
Ik keek Ebony even aan en liep toen langs haar heen de trap op.

HOOFDSTUK VIERENTWINTIG

We zaten in haar kamer bij de openslaande deuren die toegang gaven tot een balkon dat op zee uitkeek. Er hingen doorschijnende gordijnen die traag opbolden in het zilte briesje. Het slaapkamermeubilair was oud en donker, een samenraapsel van stukken die zij en Woody overgehouden moesten hebben van hun eerste huwelijksjaren: een dressoir met beschadigd fineer, bijpassende wanstaltige schemerlampen met donkerrode zijden lampekappen. Het deed me denken aan de etalage van een uitdragerij, vol afgedankte troep van andere mensen. Niets in het vertrek zou in aanmerking komen voor het predikaat 'interessant', laat staan antiek.
Ze zat in een schommelstoel met een vulling van paardehaar en een rafelige, glimmende bekleding en plukte aan de stof op de armleuningen van de stoel. Ze zag er vreselijk uit. De huid van haar gezicht was na Olives dood nog bleker geworden en haar wangen waren bezaaid met levervlekken en dooraderd met zichtbare haarvaatjes. Ze zag eruit alsof ze de laatste paar dagen afgevallen was, het vlees hing in plooien langs haar bovenarmen en de botten kwamen naar de oppervlakte als een aanschouwelijke les in anatomie. Zelfs haar tandvlees had zich teruggetrokken van haar tanden, en het verouderingsproces was plotseling net zo duidelijk zichtbaar als op foto's die met lange tussenpozen genomen zijn. Ze scheen gebukt te gaan onder een vooralsnog niet nader geïdentificeerde emotie die haar ogen rood omrand en dof had gemaakt. Ik dacht niet dat ze het zou overleven, wat het ook was.
Ze was terug naar haar kamer geklost met behulp van haar wandelstok, die ze met één trillende hand vasthield.
Ik ging op een ongemakkelijke stoel vlak bij de hare zitten en zei zachtjes: 'Jij weet wat er aan de hand is, hè?'
'Ik denk van wel. Ik had eerder mijn mond open moeten doen, maar ik hoopte zo dat mijn vermoedens ongegrond waren. Ik dacht dat we het verleden begraven hadden. Ik

dacht dat dat alles achter ons lag, maar dat is niet zo. Er is al zoveel schande in de wereld. Waarom zouden wij daar ook nog eens onze portie aan bijdragen?' Haar stem beefde en haar lippen trilden terwijl ze sprak. Ze zweeg even, worstelend met een of andere innerlijke barrière. 'Ik heb Woody beloofd dat ik er nooit meer over zou praten.'
'Je moet, Helen. Er zijn mensen gestorven.'
Even kwam er een sprankeling in haar donkere ogen. 'Dat weet ik ook wel,' snauwde ze. De opwelling van energie was maar van korte duur, als een lucifer die snel weer dooft. 'Je doet zo goed mogelijk je best,' vervolgde ze. 'Je probeert het goede te doen. Er gebeuren dingen en je redt wat er te redden valt.'
'Niemand verwijt jou iets.'
'Ik maak mezelf verwijten. Het is mijn schuld. Ik had mijn mond moeten opendoen op het moment dat de zaken uit de hand begonnen te lopen. Ik vermoedde wat er aan de hand was, maar ik wilde het niet geloven, stom mens dat ik ben.'
'Heeft het met Woody te maken?'
Ze schudde het hoofd.
'Met wie dan?'
'Lance,' fluisterde ze. 'Met hem is het allemaal begonnen.'
'Lance?' zei ik, van mijn stuk gebracht. Dat was de laatste naam die ik verwacht had te zullen horen.
'Je zou denken dat het verleden wel zou slijten...dat het niet de macht zou hebben om ons zo lang nadat het gebeurd is nog in zijn greep te houden.'
'Over hoe lang geleden praat je nu?'
'Zeventien jaar, bijna op de dag af.' Ze klemde haar kaken op elkaar en schudde toen weer het hoofd. 'Lance was in zijn tienertijd volkomen onhandelbaar, opstandig en gesloten. Hij en Woody lagen voortdurend met elkaar overhoop, maar zo zijn jongens nu eenmaal. Lance was op een leeftijd waarop hij zich *uiteraard* moest laten gelden.'
'Ash zei dat hij in die tijd een paar keer in aanvaring is gekomen met de wet.'
Ze maakte een ongeduldig gebaar. 'Hij haalde zich voortdurend moeilijkheden op de hals. "Identiteitscrisis" noemen ze dat tegenwoordig, maar ik vond niet dat hij een slechte

jongen was. Dat vind ik nog steeds niet. Hij had een veelbewogen puberteit...' Ze brak haar zin af en haalde diep adem. 'Laat ik er niet langer over uitweiden. Gedane zaken nemen geen keer. Woody heeft hem uiteindelijk naar een militaire academie gestuurd, en daarna is hij in het leger gegaan. Toen hebben we hem een tijdlang nauwelijks gezien tot hij die Kerst met verlof naar huis kwam. Het leek uitstekend met hem te gaan. Hij was een stuk volwassener geworden, stabieler ook. Rustig en vriendelijk en beleefd tegen ons allebei. Hij raakte geïnteresseerd in het bedrijf. Hij had het erover om een geregeld leven te gaan leiden en de kneepjes van het vak te leren. Woody was in de zevende hemel.' Ze haalde een zakdoek te voorschijn waarmee ze het laagje transpiratie bette dat zich als dauw op haar gezicht had afgezet.
Tot dusverre had ze me niets verteld dat ik niet al wist. 'Wat gebeurde er toen?'
'Dat jaar...toen Lance thuiskwam en alles zo goed ging ...dat jaar...het was op nieuwjaarsdag. Ik kan me nog herinneren hoe gelukkig ik was dat het nieuwe jaar zo goed begonnen was. Toen kwam Bass naar ons toe met een volkomen absurd verhaal. Ik denk dat ik het, in mijn hart, altijd hèm kwalijk heb genomen. Hij bedierf alles. Ik heb het hem nooit echt vergeven, hoewel het toch nauwelijks zijn schuld was. Bass was toen dertien. Sluw. Zelfs op die leeftijd wist hij al van slechtigheid en hij genoot er met volle teugen van.'
Dat doet-ie nog steeds, dacht ik bij mezelf. 'Wat vertelde hij jullie?'
'Hij zei dat hij Lance betrapt had. Hij kwam regelrecht naar ons toe met die gluiperige blik in zijn ogen en deed of hij vreselijk overstuur was, terwijl hij in werkelijkheid precies wist wat hij deed. Eerst geloofde Woody er geen woord van.'
'Waar had hij Lance op betrapt?'
Het bleef even stil en toen dwong ze zichzelf om verder te gaan, haar stem zo zacht dat ik me dichter naar haar toe moest buigen. 'Met Olive,' fluisterde ze. 'Lance en Olive. In haar kamer op het bed. Ze was zestien en zo mooi. Ik

'Hij is al die tijd zo vrij geweest als een vogeltje in de lucht. Ik heb zojuist met een van de artsen gepraat en ze zijn nu de oude dossiers aan het opzoeken om te zien wat hij nog meer op zijn kerfstok heeft.'
'Was hij echt gek of deed hij maar alsof?'
'Iemand die doet wat hij gedaan heeft is gek.'
'Breng jij de familie op de hoogte zodra ze hem opgepakt hebben?'
'Komt in orde. Ondertussen stuur ik er een mannetje heen, voor het geval hij besluit om terug te komen.'
'Ik zou ook Wood/Warren in de gaten laten houden. Misschien probeert hij Lance te grazen te nemen.'
'Okay,' zei Dolan. Hij verbrak de verbinding.
Ik liet Helen ineengedoken in haar schommelstoel achter. Ik liep naar beneden, op zoek naar Ebony, en vertelde haar wat er aan de hand was. Toen ik mezelf uitliet, was zij op weg naar boven, naar haar moeder. Ik kon me niet voorstellen waar ze over zouden praten. In een flits zag ik Olive weer door de lucht zeilen, op weg naar de vergetelheid. Ik kon dat beeld maar niet kwijtraken. Terwijl ik naar huis reed voelde ik me neerslachtig, zoals eigenlijk voortdurend de laatste dagen. Ik raak het beu om in de vuile was van andere mensen te wroeten. Ik ben het zat om van alles over ze te weten dat ik eigenlijk helemaal niet hoor te weten. Het verleden is nooit aangenaam. De geheimen houden nooit verband met nobele handelingen of goede daden die plotseling aan het licht komen. Nooit wordt er iets opgelost met een handdruk of een openhartig gesprek. Ik vind het merendeel van de mensheid vaak zo laag-bij-de-gronds, en ik weet niet goed hoe de rest van ons daarop moet reageren.
Onder het verband klopten mijn brandwonden, die geïrriteerd en vurig aanvoelden. Ik bekeek mezelf in de achteruitkijkspiegel. Met het verschroeide haar op mijn voorhoofd en mijn verdwenen wenkbrauwen zag ik er op de een of andere manier ontsteld uit, alsof ik onvoorbereid was op de plotselinge ontknoping van de zaak. Dat klopte ook wel. Ik had geen tijd gehad om de gebeurtenissen te verwerken. Ik dacht aan Daniel en Bass. Ik moest hen uit mijn geest bannen, maar het voelde aan als een stuk onverwerkte emotie

en dat beviel me helemaal niet. Ik wilde de zaak definitief afsluiten. Ik wilde mijn gemoedsrust weer terug.
Ik liep het hek door en haalde in het voorbijgaan de post uit de brievenbus. Ik ging mijn appartement binnen en gooide mijn handtas op de bank. Ik voelde een wanhopige behoefte om een bad te nemen, ook al begreep ik natuurlijk best dat het een voornamelijk symbolische behoefte was. Het was pas vier uur 's middags, maar ik zou me stevig afboenen en daarna eens op Rosies deur gaan bonzen. Het was dinsdag en ze zou inmiddels wel weer open zijn. Mijn stamcafé gaat meestal pas om vijf uur open, maar misschien kon ik haar met wat vleierij zover krijgen dat ze me eerder binnen liet. Ik had behoefte aan een machtige Hongaarse maaltijd, een glas witte wijn, en iemand die me een beetje bemoederde.
Bij mijn bureau bleef ik even staan om mijn antwoordapparaat te controleren. Er waren geen boodschappen. Bij de post zat niets interessants. Te laat drong het feit tot me door dat mijn badkamerdeur dicht was. Ik had hem niet dichtgedaan. Dat doe ik nooit. Mijn appartement is maar klein en door het badkamerraam valt er flink wat licht naar binnen. Ik draaide mijn hoofd om en voelde hoe mijn nekharen overeind gingen staan. De deurknop beschreef een halve draai en de deur zwaaide open. Dat gedeelte van de kamer bevond zich op dat tijdstip van de dag in de schaduw, maar ik kon hem daar zien staan. Mijn ruggegraat veranderde in ijs en de kou straalde uit naar mijn ledematen, die ik niet meer scheen te kunnen bewegen. Terry kwam uit de badkamer te voorschijn en liep om de bank heen. In zijn rechterhand had hij een pistool dat recht op mijn maag gericht was. Ik voelde hoe mijn handen automatisch omhoog gingen, palmen naar boven, de klassieke pose van onderwerping als je een vuurwapen op je gericht ziet.
Terry zei: 'O jee, je hebt me betrapt. Ik had gedacht wel weer verdwenen te zijn tegen de tijd dat je thuis kwam.'
'Wat doe je hier?'
'Ik heb een cadeautje voor je meegebracht.' Hij maakte een gebaar naar mijn keukentje.

Als in trance draaide ik me om om te zien waar hij naar wees. Op de eetbar stond een in kerstpapier verpakte schoenendoos. Op het deksel zat een rode satijnen strik. Wat een enige verrassing. Terry Kohler wilde me een doosje dood cadeau doen.
'Leuk,' wist ik er met moeite uit te brengen. Mijn mond was kurkdroog.
'Maak je het niet open?'
Ik schudde het hoofd. 'Ik denk dat ik het nog maar even laat staan. Ik zou er liever niet tegenaan stoten.'
'Deze werkt op een tijdmechanisme.'
Ik slaagde erin mijn kaken te bewegen, maar ik kon geen woorden vormen. Waar had ik mijn pistool gelaten? Mijn geest was volkomen leeg. Ik stak mijn hand uit naar de rand van mijn bureau om wat steun te vinden. Bommen maken een hoop lawaai. Het einde komt snel. Ik schraapte mijn keel. 'Sorry dat ik je gestoord heb,' zei ik. 'Je hoeft voor mij verder niet te blijven.'
'Ik heb nog wel even tijd. We zouden een praatje kunnen maken.'
'Waarom wil je mij uit de weg ruimen?'
'Dat leek me een goed idee,' zei hij op vriendelijke toon. 'Ik dacht dat je het misschien wel prettig zou vinden om met een feestelijke knal te gaan.'
'Het verbaast me dat je het niet bij Lance hebt geprobeerd.'
'Ik heb voor hem net zo'n pakje in de auto liggen.'
Waarschijnlijk onder in mijn handtas, dacht ik. Ik had het naar de geweermaker willen brengen. Of had ik het in de aktentas op de achterbank van de auto gestopt? Als dat het geval was, lag het daar nog steeds en dan was ik er geweest.
'Heb je er bezwaar tegen als ik ga zitten?'
Hij keek snel de kamer rond om er zeker van te zijn dat er zich geen geweren, zwepen of slagersmessen binnen mijn bereik bevonden. 'Ga je gang.'
Ik liep naar de bank en ging zitten zonder mijn blik van hem af te wenden. Hij trok mijn bureaustoel naar zich toe en ging zitten, waarbij hij zijn benen over elkaar sloeg. Hij was een goed-uitziende man, donker en slank, enigszins aan

de tengere kant. Niets in zijn manier van doen verried hoe gek hij was. Hoe gek is hij? dacht ik. Hoe ver heen? Hoe vatbaar voor rede? Zou ik mijn leven afkopen met het verlenen van bizarre seksuele gunsten, als hij daarom vroeg? Ja, natuurlijk. Waarom niet?
Ik had moeite met het taxeren van de situatie. Ik was thuis, waar ik normaal gesproken veilig had moeten zijn. Het was niet eens donker buiten. Ik moest nodig plassen, maar dat zou klinken als een afleidingsmanoeuvre. En, eerlijk waar, ik geneerde me om het hem te vragen. Het leek raadzaam om te proberen een dialoog te beginnen, zo'n gesprek waarin je de ander voor je probeert in te nemen. 'Hoe lang heb ik nog?'
Hij keek op zijn horloge. 'Ongeveer tien minuten. De bom gaat af om half vijf. Ik maakte me zorgen dat je niet op tijd thuis zou zijn,' zei hij. 'Ik kan het tijdmechanisme wel opnieuw instellen, maar ik wil het pakpapier niet vernielen.'
'Dat begrijp ik,' zei ik. Ik keek op mijn bureauklokje. 4.22. Ik kon voelen hoe mijn bijnier adrenaline in mijn aderen spoot. Terry leek zich nergens zorgen over te maken. 'Jij blijft er behoorlijk kalm onder, hè?' merkte ik op.
Hij glimlachte. 'Ik zorg wel dat ik uit de buurt ben als dat verrekte ding afgaat. Ze zijn levensgevaarlijk.'
'Hoe dacht je me hier te houden? Dan zul je me toch eerst neer moeten schieten.'
'Ik bind je vast. Ik heb wat snoer meegebracht.' Toen pas zag ik de rol waslijn die hij op de keukenvloer had gegooid.
'Jij denkt ook aan alles,' zei ik. Ik wilde dat hij bleef praten. Ik wilde niet dat hij me vastbond want dan was ik er onherroepelijk geweest. Dan zou ik met geen mogelijkheid meer weg kunnen komen. Geen gebroken glas waarmee ik het snoer kon doorsnijden. Geen messen, geen trucs, geen wonderen. 'Als-ie nou eens te vroeg afgaat?'
'Pech gehad,' zei hij spottend, 'maar je weet wat Dylan Thomas gezegd heeft. "Na de eerste dood is er geen andere."'
'Hoe past Hugh Case nou eigenlijk in het hele verhaal? Vind je het vervelend als ik dat vraag? Ik wil het gewoon graag weten.'

'Ik vind het helemaal niet vervelend. Verder hebben we toch niets om over te praten. Hugh werd tot veiligheidsfunctionaris gebombardeerd nadat Woody ingeschreven had op een regeringscontract. We zouden allemaal gescreend moeten worden, maar de man werd een beetje al te fanatiek. Formulieren, persoonlijke gesprekken, en dan al die vragen. Hij nam zichzelf echt serieus. Eerst dacht ik nog dat het een spelletje was, maar langzamerhand realiseerde ik me dat hij te veel diepgaande vragen begon te stellen. Hij wist het. Natuurlijk wilde hij mijn vingerafdrukken. Ik heb het een hele tijd uit weten te stellen, maar ik kon niet weigeren. Ik moest hem doden voordat hij Woody alle nare details zou vertellen.'
'Over je moeder.'
'Pleegmoeder,' corrigeerde hij me.
'Zou een andere veiligheidsfunctionaris ook niet achter de waarheid gekomen zijn?'
'Daar had ik iets op gevonden, maar daarvoor moest hij eerst uit de weg geruimd worden.'
'Maar je weet niet zeker of hij je wel door had.'
'O, jawel. Ik heb het dossier vernietigd dat hij op de zaak bewaarde, maar hij had thuis nog een kopie. Tegen alle veiligheidsvoorschriften in,' zei hij. 'Daar ben ik pas kort geleden achter gekomen.'
'Lyda had het gevonden.'
'Dat was jouw schuld. Nadat je naar Texas gevlogen was, ging ze de paperassen die ze meegenomen had nog eens doorsnuffelen en toen vond ze alle gegevens met betrekking tot ene Chris Emms. Ze had geen idee wie dat was, maar ze nam aan dat het iemand op de zaak moest zijn. Ze belde me vanuit Dallas en zei dat ze informatie voor me had die Hugh boven water had gekregen. Ik vertelde haar dat ik daar graag eens naar wilde kijken en haar wilde adviseren wat ze ermee aan moest. Ze liet me beloven dat ik het niet aan Lance zou vertellen omdat ze hem sowieso al wantrouwde.'
'Dat kwam goed uit,' zei ik. 'En dat dreigement van haar ...dat heb je gewoon verzonnen?'
'Ja.'

'En de dag dat we bij het vogelreservaat zaten te wachten, toen lag ze al dood in die auto voor mijn deur?'
'Klopt,' zei hij.
'Hoe heb je Hugh gedood?'
Terry haalde onverschillig zijn schouders op. 'Chloraalhydraat. Later ben ik gewoon het ziekenhuis binnen gelopen en heb zijn bloed- en urinemonsters gestolen zodat er geen sporen van gevonden zouden worden.'
'Je moet maar lef hebben,' zei ik.
'Het moest gebeuren en ik wist dat ik in mijn recht stond. Ik kon niet toestaan dat hij mijn hele leven kapot zou maken. Wat me naderhand natuurlijk zo razend maakte, was dat het allemaal voor niets was geweest. Olive had een verleden dat net zo beroerd was als het mijne. Ik hoefde mezelf helemaal niet te beschermen. Ik had haar alles over mijn eigen verleden kunnen vertellen, als ze me de waarheid maar had verteld.'
'Je zult je wel beter voelen nu ze er niet meer is. Je hebt het haar goed betaald gezet, hè?'
Zijn gezicht betrok. 'Ik had Lance moeten doden in plaats van haar. Ik had haar het leven nog flink zuur kunnen maken.'
'Ik dacht dat je dat al gedaan had.'
'Ja, maar ze heeft lang niet genoeg geleden. En nu is ze me ontglipt.'
'Ze hield van je,' zei ik.
'En wat dan nog?'
'Niets. Ik neem aan dat liefde voor jou niet zo zwaar telt.'
Mijn blik dwaalde naar de klok. 4.25.
'Niet als die liefde gebaseerd is op leugens en bedrog,' zei hij vroom. 'Ze had me de waarheid moeten vertellen. Ze heeft me nooit in vertrouwen genomen. Ze heeft me al die tijd laten geloven dat ons seksleven allemaal mijn schuld was. Ze liet me denken dat ik er niets van kon terwijl het al die tijd aan haar lag. Soms denk ik aan hem met zijn mond op haar lichaam, zich vol zuigend als een bloedzuiger. Walgelijk,' zei hij.
'Dat was lang geleden.'
'Niet lang genoeg.'

'En hoe zit het met Andy Motycka? Hoe heb je hem voor je karretje weten te spannen?'
'Geld en dreigementen. Janice kleedde hem tot op de laatste cent uit. Ik heb hem tienduizend dollar betaald. Elke keer als hij nerveus begon te worden, herinnerde ik hem eraan dat ik Janice met liefde en plezier over Lorraine zou vertellen als hij probeerde terug te krabbelen.'
'Hoe ben je dat van Lorraine te weten gekomen?'
'We kennen elkaar allemaal al heel lang. We hebben alle vier aan de universiteit van Santa Teresa gestudeerd voordat hij en Janice trouwden. Dat was natuurlijk nadat ik mijn nieuwe identiteit had aangenomen. Toen het plan eenmaal vaste vorm begon aan te nemen, was het niet zo moeilijk om te bedenken dat hij in de ideale positie verkeerde om me te helpen.'
'Heb je hem ook gedood?'
'Ik wou dat het waar was. Hij is hem gesmeerd, maar ik bedenk wel een manier om hem weer terug te lokken. Hij is niet zo slim.'
Ondanks de oorsuizingen waarvan ik nog altijd last had, had ik durven zweren dat ik de pakjesbom vrolijk hoorde tikken. Ik likte over mijn lippen. 'Zit er echt een klok in? Werken die dingen zo?'
Hij wierp een vluchtige blik op de eetbar. 'Het is geen ingewikkeld mechanisme. Die voor Olive was gecompliceerder, maar ik moest er zeker van zijn dat hij bij de geringste schok zou exploderen.'
'Het is een wonder dat ik er toen niet het leven bij ingeschoten heb.'
'Dat had de zaken misschien wat vereenvoudigd,' zei hij.
Op dat moment herinnerde ik me hoe hij zich gebukt had om de tuinslang die op het pad lag op te rollen. Een excuus om zover mogelijk uit de buurt van de explosie te blijven. Ik begon me vreemd vrij te voelen. De tijd die resteerde was nog maar kort, maar leek zich te rekken als een lange sliert kauwgom. Het scheen absurd dat ik de laatste minuten van mijn leven zou doorbrengen met het bespreken van onbelangrijke details met de man die me ging vermoorden. Ach, waarom ook niet? Ik haalde me weer mijn korte vlucht

voor de geest van Olives voorportaal naar de boomstronk terwijl zij me als een vogel voorbij vloog. Van een dergelijke dood merk je nauwelijks iets. Waar ik bang voor was, was het eventuele overleven, verminkt en overdekt met brandwonden. Tijd om iets te ondernemen, dacht ik, wat de consequenties ook mogen zijn. Als je leven op het spel staat, heb je immers toch niets meer te verliezen?
Ik stak mijn hand uit naar mijn handtas. 'Ik heb wat tranquillizers in mijn tas. Okay?'
Hij leek te schrikken en maakte een beweging met het pistool. 'Blijf van die tas af.'
'Ik ben òp van de zenuwen, Terry. Ik heb echt een valium nodig. Daarna kan je me vastbinden.'
'Nee,' zei hij gemelijk. 'Blijf eraf! Ik meen het!'
'Toe nou, Terry. Doe me dat plezier. Dat is toch niet zoveel gevraagd?'
Ik trok de tas naar me toe, ritste hem open en wroette door de inhoud totdat ik de geribbelde ivoren kolf van mijn dierbare .32 te pakken had en de veiligheidspal terugduwde. Hij kon niet geloven dat ik hem niet zou gehoorzamen, maar hij scheen niet te weten hoe hij moest reageren.
Terwijl hij overeind kwam, vuurde ik door de bodem van de handtas heen, van een afstand van drie meter, zonder merkbaar effect. Hij maakte een sprongetje alsof ik hete jus op zijn broek had gemorst, maar ik zag geen bloed en hij sloeg niet tegen de grond zoals ik vurig gehoopt had. In plaats daarvan kwam hij brullend tot leven en vloog me aan als een dolle hond. Ik trok het pistool uit mijn tas om nogmaals te vuren, maar hij wierp zich bovenop me en sleurde me mee naar de vloer. Ik zag zijn vuist op me afkomen en ik rukte mijn hoofd naar rechts. De klap belandde op mijn linkeroor en deed me suizebollen van de pijn. Ik greep naar de bank om steun te zoeken en krabbelde overeind. Ik had geen idee waar mijn pistool gebleven was, maar ik zag dat hij het zijne op me richtte. Ik greep mijn handtas en haalde uit. Ik raakte hem tegen het hoofd en de klap deed hem opzij wankelen.
Hij versperde de weg naar de voordeur, dus draaide ik de andere kant op en sprong de badkamer in. Ik trok de deur

achter me dicht, draaide hem op slot en liet me plat op de grond vallen. Hij vuurde tweemaal, en de kogels floten dwars door de deur. Er was geen uitweg. Het badkamerraam bevond zich midden in de vuurlinie en ik zag niets waarmee ik me kon verdedigen. Hij begon tegen de deur aan te trappen, woeste trappen die het hout versplinterden. Ik zag zijn voet door het deurpaneel komen en hij trapte nogmaals. Zijn hand kwam door het gat en voelde naar het slot. Ik rukte het deksel van het waterreservoir en mepte ermee op zijn hand. Ik hoorde hem een brul geven en hij rukte zijn hand terug door het gat. Hij vuurde opnieuw terwijl hij allerlei obsceniteiten schreeuwde. Plotseling verscheen zijn gezicht voor de opening, met woest rollende ogen terwijl hij keek waar ik me precies bevond. De loop van zijn pistool zwaaide mijn richting uit. Het enige wat ik kon bedenken, was mezelf te beschermen door het deksel van het waterreservoir als een schild voor me te houden. De kogel raakte het deksel met een metalige klap en de kracht van de inslag stootte het uit mijn handen en brak het in tweeën. Terry begon weer tegen de deur te trappen, maar er zat nu duidelijk minder kracht achter.
Aan de andere kant van de deur hoorde ik hem met een doffe klap op de grond vallen. Ik bleef doodstil staan, terwijl ik verbijsterd naar adem snakte. Er was geen tijd om even rustig af te wachten of het geen valstrik was. Ik draaide het slot open en duwde tegen de deur, maar daar was geen beweging in te krijgen. Ik liet me op mijn knieën zakken en keek naar hem door het gat in het paneel. Hij lag plat op zijn rug, de voorkant van zijn overhemd rood doorweekt. Blijkbaar had ik hem wel degelijk geraakt, maar het had al die tijd geduurd voor hij neer ging. Het bloed sijpelde uit hem vandaan als lucht uit een versleten band. Zijn borst zwoegde op en neer. Boven zijn reutelende ademhaling uit hoorde ik het pakje tikken als een staande klok.
'Ga uit de deuropening! Terry, ga opzij!'
Ik duwde zo hard ik kon, maar er was geen beweging in hem te krijgen. Ik moest daar weg. Vertwijfeld keek ik de badkamer rond en raapte toen een helft van het gebroken reservoirdeksel op. Ik sloeg het raam in. Een regen van

glasscherven viel in de voortuin, maar er bleven puntige scherven achter in het kozijn. Ik greep een handdoek en legde die over het kozijn, waarna ik mezelf door de opening wrong. De dreunende explosie lanceerde me door het raam als Superman in volle vlucht. Ik smakte op het gras met een klap die me de adem benam. Even dacht ik in paniek dat ik verlamd was en ik vroeg me af of ik ooit nog zou kunnen ademen. Overal om me heen regende het brokstukken. Ik zag een stuk van het dak even in de lucht hangen, als een UFO. Toen kwam het tuimelend en bonkend naar beneden via de takken van een boom die in de weg stond. Een wolk witte rook dreef mijn gezichtsveld binnen en begon zich te verspreiden. Ik keek omhoog naar de muur achter me, die nog intact scheen te zijn. Mijn slaapbank stond op de oprit met de kussens er schots en scheef op. Op de armleuning stond parmantig mijn groene luchtvaren, alsof hij er zelf opgesprongen was. Ik wist dat de hele voorgevel van mijn appartement verdwenen zou zijn, het interieur een ruïne, al mijn bezittingen vernield. Gelukkig maar dat ik niet zoveel aardse bezittingen heb, dacht ik.
Ik was weer tijdelijk doof, maar daar begon ik inmiddels aan gewend te raken. Na een tijdje kwam ik moeizaam overeind en ging naar binnen om te zien of er nog iets van Terry over was.

Epiloog

Toen Henry Pitts thuis kwam trof hij een krater aan op de plek waar zijn verhuurobject had gestaan. Hij was meer overstuur over mijn problemen tijdens zijn afwezigheid dan over de schade aan zijn bezit, die door de verzekering gedekt werd. Hij heeft nu grote plannen om een nieuwe studio voor me te laten bouwen en hij is al in bespreking met een architect. Ik had een paar kledingstukken kunnen redden, waaronder mijn jurk voor alle gelegenheden en mijn favoriete vest. Waar zou ik over klagen? Zodra ik op de been was, ging ik weer aan het werk. Mac regelde dat California Fidelity mijn kantoor een opknapbeurt gaf bij wijze van compensatie voor mijn tijdelijke schorsing. Andy Motycka werd ontslagen en in staat van beschuldiging gesteld. Op het bureau van de officier van justitie hebben ze waarschijnlijk mijn naam gewit en de zijne ervoor in de plaats getikt. Binnen twee dagen na de explosie vertrok Daniel met Bass. Ik kan niet zeggen dat het me veel deed. Na alles wat ik doorgemaakt had, leek zijn verraad nauwelijks nog iets ter zake te doen.

De zaak overziend, kwam ik tot de conclusie dat er nog slechts één zaak geregeld moest worden. Ik sprak onder vier ogen met inspecteur Dolan over de vijfduizend dollar die Terry op mijn rekening had gestort. Hij adviseerde me om mijn mond dicht te houden, en dat heb ik ook gedaan.

Ingediend met de meeste hoogachting,
Kinsey Millhone